ZODIAC

Directe

Patric

SERPENT

1905-1917-1929
1941-1953-1965-1977

Catherine Aubier

avec la collaboration de
Josanne Delangre

FRANCE-
AMÉRIQUE

Dans la même collection :

Maquette intérieure et fabrication : J.B. Duméril
Iconographie : Patrick Ravignant
Couverture : Les Communicateurs avec une illustration de Patrice Varin

Édité et distribué par
France-Amérique
170 Benjamin Hudon
Montréal, Québec
H4N 1H8
Tél.: (514) 331-8507

COMMENT LIRE
CET OUVRAGE ?

Chacune des parties de cet ouvrage vous propose une manière particulière de situer votre personnalité dans le cadre de l'astrologie chinoise. Ces différentes perspectives débouchent sur un point de vue élargi, souple et diversifié quant aux principales tendances de votre caractère, de votre comportement et aux grandes lignes de votre destin.

I

Quels sont les traits spécifiques de votre signe chinois, déterminé par *l'année de votre naissance* ? (page 17)

II

Quel est votre Compagnon de route, c'est-à-dire le signe de *l'heure de votre naissance* ? (page 51)

III

Quel est *votre Élément* (Terre, Eau, Feu, Bois, Métal) et quelles en sont les caractéristiques ? (page 65)

IV

La synthèse de votre signe chinois et de votre signe occidental (Bélier, Taureau, etc.) apporte de multiples nuances qui permettent d'affiner sensiblement votre portrait psychologique. Cherchez le *type mixte* auquel vous vous rattachez. (page 87)

V

Le jeu du *Yi King astrologique* adapte l'antique Livre des Mutations taoïste à chaque signe chinois. Il vous offre la possibilité de poser des questions sur tous les problèmes vous concernant, des plus quotidiens aux plus généraux, et d'obtenir des oracles appropriés à votre situation. (page 101)

LES MYSTÈRES DE L'ASTROLOGIE CHINOISE

成捐藥了只閉門靜坐事物之來且曰候我存養又不可只茫

之間存養多用靜否曰不必然孔子却都就用處教人做工夫．

La légende du Bouddha.

Un certain nouvel An chinois, plus de cinq siècles avant notre ère, le Seigneur Bouddha invita tous les animaux de la création, en leur promettant une récompense à la mesure de sa toute-puissante et miraculeuse mansuétude. L'âme obscurcie par leurs préoccupations du moment – ne dit-on pas en Orient que le propre de l'animal est de manger, dormir, s'accoupler et avoir peur ? – presque tous dédaignèrent l'appel du divin Sage. Douze espèces furent toutefois représentées. Ce furent, dans l'ordre de leur arrivée, le Rat, le Buffle, le Tigre, le Chat, le Dragon, le Serpent, le Cheval, la Chèvre, le Singe, le Coq, le Chien et le Sanglier. D'autres traditions remplacent le Chat par le Lièvre et le Sanglier par le Cochon.

Pour les remercier, le Bouddha offrit à chacun une année qui lui serait désormais dédiée, porterait son nom, resterait imprégnée de son symbolisme et de ses tendances psychologiques spécifiques, marquant, d'âge en âge, le caractère et le comportement des hommes naissant cette année-là.

Ainsi fut établi un cycle de douze ans, épousant la succession et le rythme de ce bestiaire fantastique. (On peut imaginer le travail vertigineux des astrologues si toutes les bêtes avaient répondu à cette convocation !)

Telle est la légende.

Un cycle lunaire.

En réalité, l'astrologie chinoise est très antérieure au développement du Bouddhisme extrême-oriental, dont l'implantation n'a commencé qu'au Ve siècle de l'ère chrétienne, soit environ mille ans après la mission terrestre du Bouddha Gautama. Or des astrologues pratiquaient déjà leur art en Chine dix siècles avant le Christ. Mais les origines mêmes de cette astrologie sont aussi controversées qu'immémoriales.

Un point est incontestable. Contrairement à l'Occident qui a élaboré une astrologie solaire, fondée sur les déplacements apparents de l'astre diurne dont la position change, de mois en mois, dans notre zodiaque, l'Extrême-Orient a édifié une astrologie lunaire, basée sur le cycle annuel des lunaisons. Voilà pourquoi le nouvel An asiatique − fête du Têt chez les Vietnamiens − ne tombe jamais exactement à la même date. (cf. tableau p. 123)

Les phases de la lune sont également importantes pour un astrologue occidental, mais leur signification et leurs implications n'ont rien de comparable, ne s'inscrivant pas dans le même contexte, le même jeu de correspondances.

Sans entrer dans des considérations trop scientifiques − qui sortiraient du propos de cet ouvrage − rappelons simplement l'évidente et multiple influence de la lune, tant au niveau des lois physiques − mouvements des marées − que sur des plans plus subtils concernant la vie du corps − menstruation féminine − et les profondeurs les plus obscures du psychisme. Le terme *lunatique* a un sens tout à fait précis, voire clinique. Des études statistiques récentes ont permis par exemple de souligner un étrange et significatif accroissement de la violence et de la criminalité sanglante les soirs de pleine lune.

D'autre part, des expériences rigoureuses ont démontré l'impact direct de notre satellite sur la composition chimique de certains corps, dont la structure moléculaire peut être modifiée, selon qu'ils sont ou non exposés à la lumière lunaire.

Les nuances.

Nous voici donc avec nos douze animaux emblématiques de l'astrologie orientale. Est-ce à dire que toutes les personnes ayant vu le jour dans une même année du Rat ou du Cheval seront soumises aux mêmes schémas de caractère et de destin ? Pas plus que les natifs du Bélier ou de la Balance ne sont tous réductibles à un même scénario zodiacal.

Dans notre astrologie occidentale, la position des planètes, le calcul de l'Ascendant, du Milieu-du-Ciel et des Maisons permettent d'affiner et d'individualiser considérablement un thème. De même, en Asie, on obtient des résultats d'une surprenante minutie et complexité en intégrant aux données initiales des facteurs tels que le *Compagnon de Route*, déterminé par l'heure de naissance (mais à ne pas confondre avec notre Ascendant), et l'*Élément* prédominant, qui se rapporte aux cinq Éléments – *Terre, Eau, Feu, Bois, Métal*.

Ce triple point de vue – *animal emblématique, Compagnon de Route* et *Élément* – offrira au lecteur une diversité de références complémentaires, un ensemble de perspectives plus riches et plus précises, auquel nous avons adjoint un tableau détaillé des rapports entre signes chinois et signes occidentaux : les deux astrologies étant, par nature, toujours différentes, mais jamais contradictoires, leur rapprochement et leur fusion ne pouvaient aboutir qu'à un approfondissement des types psychologiques issus de l'une et de l'autre.

Il faut cependant insister sur le fait que si l'analogie tient une place éminente dans l'astrologie chinoise, elle n'a ni le même sens, ni la même portée souveraine que pour les Occidentaux.

Chaque signe chinois est un univers en soi, un petit cosmos comportant des lois et des domaines propres, tout à fait indépendants des autres signes. Créature vivante, douée de pouvoirs et de fonctions spécifiques, cet animal emblématique se déploie dans une dimension particulière, originale, crée sa jungle, son nuage, ou son souterrain, définit ses mesures, ses cadences, sa respiration, secrète sa propre chimie – ou plutôt son alchimie. C'est une image souple, mobile, fluctuante, assujettie aux métamorphoses et aux contradictions internes.

Il ne faut surtout pas y chercher un cadre fixe, une

structure rigide, une cage de catégories mentales et d'équations psychologiques plus ou moins rassurantes, où calfeutrer et caler un ego angoissé, toujours en quête d'une réconfortante et flatteuse projection de ses désirs et de ses craintes.

Les correspondances qui nous relient à notre signe chinois sont souvent impossibles à figer dans des formules exclusives, des classifications linéaires.

Le symbole asiatique ne se cerne pas ; il se décerne, comme un cadeau des dieux, du Temps et du Mystère, cadeau savoureux ou empoisonné, qu'un Oriental accepte, avec humilité, dans les deux cas, parce qu'il sait que la saveur peut naître du poison, comme le poison de la saveur.

*Le Sage
Confucius*

Parfois, dans le cours d'une vie, ce sont les circonstances elles-mêmes, plus que tel ou tel trait de caractère, qui semblent véhiculer et concrétiser les principales tendances du signe. En d'autres termes, autour d'un Dragon ou d'un Coq se construira une certaine trame d'événements, majeurs ou mineurs, un peu comme un fond sonore, un arrière-plan symphonique de style Dragon ou Coq.

Avoir et Être.

L'astrologie chinoise inspire et infléchit, depuis des siècles, les décisions et le comportement de centaines de millions d'individus, en Chine, au Japon, en Corée, au Vietnam, avec une intensité qu'il nous est difficile de mesurer et même d'admettre.

Le retour sur soi-même

Pour mieux comprendre l'esprit dans lequel les Asiatiques rattachent cette pratique à leurs problèmes quotidiens, il faut souligner un point capital, qui constitue probablement la différence fondamentale entre les civilisations occidentale et orientale − une ligne de partage et de démarcation quasi infranchissable.

Dans notre société de consommation − quelle que soit la nuance admirative ou péjorative associée à ce terme − la question primordiale, de la naissance à la mort, et à tous les niveaux d'activité, se pose ainsi : « *que puis-je avoir ?* » Acquérir, conquérir, posséder. Avoir : biens matériels, fortune, chance, honneurs, pouvoir, célébrité, succès amoureux, prestige, métier, famille, santé, maison, amis, ou encore culture, savoir, érudition. Que puis-je avoir, conserver, accroître ?

Telle est bien la question lancinante, obsessionnelle, qui sous-tend l'ensemble de nos motivations.

Il suffit de songer aux *modèles* qu'on nous propose : vedettes politiques, super hommes d'affaires, stars du spectacle, artistes ou savants célèbres, champions sportifs, héros de romans noirs ou de bande dessinée, idoles de tous poils, tous ces personnages incarnent le triomphe et la glorification de l'Avoir. Ils peuvent tous dire : « j'ai le plus de puissance, j'ai le plus d'argent, j'ai le plus de records, j'ai le plus de diplômes et de compétences, ou même, j'ai le plus grand amour et, encore, pourquoi pas, j'ai le plus terrible drame, la plus affreuse maladie », etc. La valorisation passe exclusivement par l'avoir.

Bien mieux : la publicité, aujourd'hui omniprésente, consiste, pour l'essentiel, à proclamer qu'il faut absolument *avoir* telle ou telle marque de tel ou tel produit pour *être* − dynamique, séduisant, bien dans sa peau, heureux, comblé.

Pour l'Orient traditionnel, la question décisive n'est pas « *que puis-je avoir ?* » mais « *que puis-je être ?* ».

Le modèle recherché n'est pas celui du grand chef, du superman de la finance, du héros, du champion toutes catégories, mais celui du Sage, pauvre et nu, vivant dans une liberté intérieure totale et une parfaite béatitude. Devant lui, les princes et les magnats se prosternent, car il est l'image de la plus haute réalisation possible de l'homme.

Ajoutons que dans cette perspective, le Sage ne renonce à rien, bien au contraire, puisque ayant atteint la suprême

Les mondes subtils

réalité il est incommensurablement plus riche que les plus
fastueux nababs. C'est nous qui, par nos attachements
fragmentaires et illusoires, nos convoitises infantiles, nos
incessants conflits, renonçons continuellement à la plus
merveilleuse félicité – à Dieu.

« *Qui suis-je ?* » Quelles que soient les approches et les méthodes particulières, écoles, sectes ou ascèses, cette question − en apparence si simple et si banale − est la base et la clef de toute la culture orientale, de ces chemins de libération intérieure, ces voies de connaissance réelle qui se nomment Yoga, Védanta, Tantrisme, Tao, Zen, pour ne citer que les plus connus.

Dans cette optique, la démarche astrologique chinoise peut nous paraître déconcertante. L'Asiatique ne pense pas : « *j'ai* telles prédispositions, aptitudes ou faiblesses, inhérentes à mon horoscope », mais plutôt : « comment puis-je *être* Tigre, ou Chèvre, ou Chien, dans toutes les circonstances de la vie ? »

Les penchants et tendances ne sont jamais l'objet d'un quelconque « avoir », au sens où nous disons couramment : « je possède telle qualité ou tel défaut. » Il s'agit plutôt de directions, impliquant une progression souple et rythmique, une sorte de danse poétique du destin, chaque animal ayant alors son pas, ses pirouettes et ses entrechats, toute une chorégraphie spécifique.

Cette nuance doit être bien perçue pour qui veut évoluer sans s'égarer ni tourner en rond dans cet immense domaine de chatoiements et de mouvances.

Le Yi-King astrologique.

Dans la dernière partie de ce volume, nous proposons un jeu inspiré des oracles du Yi-King, et adapté à chaque signe.

« Le Yi-King, écrit Alan Watts (*Le Bouddhisme Zen*, Payot), est un ouvrage de divination contenant des oracles basés sur 64 figures abstraites, chacune d'elles étant composée de 6 traits. Ces traits sont de deux sortes, traits divisés ou négatifs, et non divisés ou positifs. Un psychologue moderne y verrait une analogie avec le test de Rorschach dont le but est d'établir le portrait mental d'un individu d'après les idées spontanées que lui suggère une tache d'encre au dessin tarabiscoté. Le sujet capable de percevoir ses projections dans la tache d'encre pourrait en déduire des renseignements utiles pour guider son comportement futur. Considéré sous cet angle, l'art divinatoire du Yi-King ne peut être taxé de vulgaire superstition.

Un pratiquant du Yi-King pourrait en effet soulever une critique de poids concernant les méthodes auxquelles nous faisons appel lorsque nous avons d'importantes décisions à prendre. Nous sommes convaincus que nos décisions sont rationnelles parce que nous nous appuyons sur un faisceau de données valables touchant tel ou tel problème : nous ne

Rapport des signes et des maisons lunaires

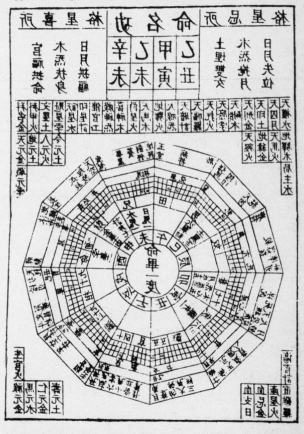

nous en remettons assurément pas au jeu de pile ou face. Il pourrait cependant demander si nous savons quelle information est vraiment valable étant donné que nos plans sont constamment bouleversés par des événements absolument imprévisibles. Si nous étions rigoureusement rationnels dans le choix des informations destinées à guider notre comportement, il faudrait tellement de temps que le moment de l'action serait écoulé avant que l'on ait recueilli suffisamment de données. En fait, si nous nous lançons à la recherche de ces informations d'une façon initialement scientifique, nous sommes rapidement contraints d'agir, soit sur un caprice intuitif, soit parce que nous sommes fatigués de réfléchir ou que le moment est venu de choisir.

Autrement dit, nos décisions les plus importantes sont basées en majeure partie sur des impressions, sur notre capacité à « sentir » une situation.

Tout pratiquant du Yi-King sait cela. Il sait que sa méthode n'est pas une science exacte, mais un instrument utile et efficace s'il est doué d'une intuition suffisante, ou, comme il dirait, s'il est *« dans le Tao »*...

Immergeons-nous pleinement dans cet univers féérique, afin d'élargir notre vision du monde et d'affiner la perception de notre propre destin.

LE YIN ET LE YANG

Le *Yin* et le *Yang* sont le symbole des deux principes antagonistes et complémentaires dont le jeu indissociable et la constante métamorphose représentent le fondement, le tissu même de l'univers en action. Ils figurent les éternelles paires d'opposés Positif-Négatif, Oui-Non, Blanc-Noir, Jour-Nuit, Plein-Vide, Actif-Passif, Masculin-Féminin, etc. Chacun contient l'autre en germe. C'est pourquoi l'homme (Yang) porte en lui une part féminine (Yin) et la femme (Yin) une part masculine (Yang).

Le couple Yin-Yang est indissoluble et mouvant, chacun des deux termes devenant le terme opposé et complémentaire. C'est ce qu'exprime la traditionnelle figure

Au moment où le Yang (blanc, actif) est à son apogée – partie renflée – le Yin (noir, passif) se substitue à lui insensiblement – partie effilée – et réciproquement.

Le Yin et le Yang n'ont en aucun cas un caractère « moral ». Aucun des deux n'est supérieur ou inférieur à l'autre. Leur opposition est aussi nécessaire et peu conflictuelle que celle de la main gauche et de la main droite qui se frappent pour applaudir.

LES TYPES YIN ET YANG

Le Rat - le Buffle - le Chat - le Singe - le Chien et le Sanglier sont **Yin**.

Le Tigre - le Cheval - le Dragon - le Serpent - la Chèvre et le Coq sont **Yang**.

L'homme Yin

Apparence : L'homme Yin est souvent de forte corpulence, sa taille est moyenne, ses muscles développés. Il jouit d'une excellente résistance physique, et sa santé est solide. Il a souvent le visage rond mais ne sourit pas beaucoup.

Psychologie : L'homme Yin est avant tout préoccupé par lui-même : il a tendance à « tourner autour de son nombril ». Si son comportement est calme, son humeur est instable et dépend des ambiances. Il possède une grande confiance en lui-même, mais craint l'échec.
Sociable, accueillant, il est optimiste vis-à-vis de lui et vis-à-vis des autres. Sa vie est active, il est pragmatique et efficace dans ses entreprises.

L'homme Yang

Apparence : Est de corpulence moyenne, souvent élancé, svelte ; son visage est souriant, il aime les couleurs vives. De santé délicate, il lui est conseillé de prévenir plutôt que guérir.

Psychologie : L'homme Yang est un individualiste porté vers la recherche personnelle, l'évolution, la méditation. Il est intelligent, indépendant, parfois solitaire. Il n'a aucun sens de la hiérarchie, et croit en la liberté. Il préfère l'isolement et le contact avec la nature à la foule. Contrairement à l'homme Yin, il cherche son équilibre en lui-même au lieu de le trouver chez autrui.

(« Tradition astrologique chinoise », de Xavier Frigara et Helen Li, Éditions Dangles.)

1re partie :

LES DOMAINES

DU SERPENT

Le SERPENT
et son symbolisme

Le Serpent, ce prince des méandres, silencieux et sinueux, hante depuis la nuit des temps nos rêves et nos légendes, faisant surgir tour à tour nos angoisses et nos désirs, notre attraction ou notre répulsion. Lové sous la pierre, enroulé dans notre cœur ou se dressant devant nos yeux écarquillés, le Serpent est toujours présent. Compagnon des Sorciers et des mages, il représente un des plus hauts symboles initiatiques, celui du cercle, c'est-à-dire de l'infini, donc de la connaissance ésotérique par excellence. En Orient, dans le Yoga tantrique de l'Inde et le bouddhisme tantrique du Thibet, il incarne la *Kundalini*, ce flux d'énergies essentielles et subtiles qui circulent de la racine de la colonne vertébrale au sommet du crâne, en reliant les plans vitaux, mentaux et supra-psychiques – l'éveil et la libération du *Serpent Kundalini* constituant une des étapes décisives de la réalisation spirituelle, et suscitant l'éclosion de redoutables pouvoirs para-normaux, tels que la télépathie, la voyance ou la lévitation.

Le Serpent n'en finit pas de nous renvoyer à ses multiples univers, symboles et mythes, nous étonnant sans cesse, nous surprenant jusque dans notre sommeil. Ophidien sacré, ou représentation du mal, démon et dieu de la terre-mère, habitant des eaux, des marais, de la boue et de la tourbe, rampant des terres profondes, émanant du chaos, il surgit de la nuit des temps, et des profondeurs les plus obscures de notre inconscient, dont il nourrit, depuis toujours, les rêves et les fantasmes.

Son image est indissociable de la Culture et de la Civilisation chinoise, en tant que père mythique des empereurs de Chine.

Au commencement était le chaos, quelque part entre ciel et terre, la mesure, l'organisation n'existaient pas, seule existait la vie. Une vie toute emplie de formes, de matière, de couleurs merveilleuses, de sons divins et de parfums enivrants, mais nul être ne pouvait percevoir ces couleurs, sentir ces parfums, écouter ces sons...

FRO BEN.

Le chaos habitant un œuf énorme, seul le feu réchauffait sa coquille, la léchait de ses mille flammes, lui diffusant sa chaleur créatrice, veillant sur son propre foyer, son « chaudron », sa vie.

Pan-Ku naquit. Tout ce qui appartenait au léger forma le ciel, tout ce qui appartenait au lourd forma la terre.

L'organisation du monde se fit, Pan-Ku grandit... Pan-Ku était le grand tout : il reliait le ciel et la terre, son crâne touchait le sommet, la voûte étoilée, son corps perçait le ciel, et ses pieds s'enfonçaient dans la terre-mère.

Les années passèrent, le ciel devint de plus en plus haut... La terre de plus en plus lourde et insondable. Pan-Ku fut le premier, il créa le vent, l'espace, les nuages, faisant jaillir le tonnerre et la foudre ; pour réchauffer la terre, il lui donna le soleil ; pour lui rappeler le froid, il lui offrit la lune... Mais Pan-Ku voulut faire une œuvre, et pour cela, il donna tout son propre sang, ses humeurs, sa peau, ses cheveux − dans un dernier baiser il abandonna même ses dents et ses os, qui devinrent pierres et métaux pour solidifier la terre.

Grâce à Pan-Ku, le soleil avait réchauffé la terre, et la lune avait brillé, des planètes étaient nées, ainsi que des étoiles. Mais aucun humain n'était encore apparu − jusqu'au jour où vint Nu-Wa. Il était d'une beauté incomparable, il possédait les vertus nécessaires au sage, son corps avait la forme d'un serpent et sa tête des traits humains...

En rampant sur la terre, le prince Nu-Wa s'enivra des mille parfums émanant du sol, et réalisa qu'ils avaient le parfum de la vie. A l'aide de sa gueule, il creusa la terre jaune, l'amassa et la pétrit longuement... Un être vint au monde, jaillit de la gueule de Nu-Wa, il possédait une tête d'homme et un corps de singe... » Tel fut l'ancêtre des premiers empereurs de Chine.

D'après : *Tradition astrologique chinoise* de Xavier Frigara et Hélène Li.

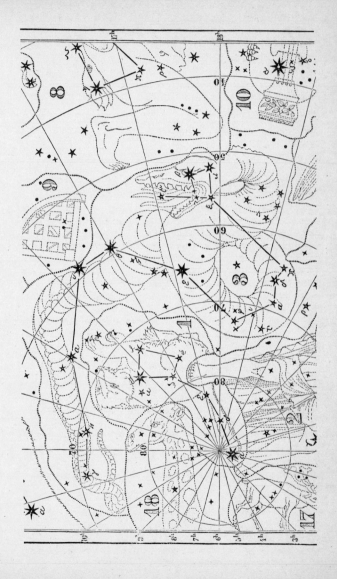

Petit mémento du Serpent

- **Principales qualités :** réfléchi, organisé, perspicace... Et sage.
- **Principaux défauts :** jaloux et têtu. N'écoute pas un mot de ce qu'on lui dit.
- **Dans le travail :** volontaire, déterminé... Mais partisan du moindre effort. S'organise et calcule son action de façon à être efficace sans vaine fatigue.
- **Son meilleur rôle :** professeur de philosophie. Il adore les citations grecques et latines... Même dans Astérix.
- **Sa plus mauvaise prestation :** travailleur à la chaîne. Il y a de quoi le rendre malade !
- **Vis-à-vis de l'argent :** ambigu : pas très économe, quoique circonspect. Aime se faire plaisir et vit un peu au jour le jour, comptant sur la chance, les occasions et son intelligence.
- **Sa chance :** naître par une chaude journée d'été. Le Serpent né l'hiver, un soir de tempête, sera en danger toute sa vie.
- **Il ne peut pas vivre sans :** plaire.
- **Il adore:** la décoration... Et les longues confidences nocturnes sur l'oreiller.
- **Il déteste :** se « faire avoir », ou qu'on lui cite quelqu'un en exemple de ce qu'il devrait être.
- **Ses loisirs :** il aime repeindre les murs, changer les objets de place, et passer des week-ends à la campagne, tranquille, avec de la bonne musique classique et de bons livres.
- **Ses lieux de prédilection :** le désert, les étendues arides et sauvages, sous un ciel limpide... Et sa maison.
- **Couleurs :** rouge et vert. **Plantes :** de rocaille, fougères. **Fleurs :** bruyère, chardon.

Métiers Serpent : professeur, philosophe, instituteur, psychiatre, psychologue, diplomate, ambassadeur, astrologue, voyante extra-lucide, chef du personnel... Et toutes les professions se terminant par « mancie » : géomancie, chiromancie, cartomancie, etc.

Les quatre âges de la vie du Serpent d'après la tradition chinoise

L'enfance du Serpent sera heureuse — à condition que le calme règne dans sa famille, sinon cet âge sera critique. Sa *jeunesse* sera sans problèmes. En revanche, dans sa *maturité* il sera à la merci des passions de toutes sortes, et sa vie affective sera souvent instable. Dans sa *vieillesse*, il pourra enfin profiter de sa *sagesse*... Bien que les feux de l'amour, qui s'éteignent lentement, risquent de lui poser longtemps des problèmes...

La psychologie du Serpent

Il est peu d'animaux au monde qui soient aussi riches en significations symboliques que le Serpent. Un livre entier suffirait à peine à les évoquer... Depuis le serpent qui se mord la queue, symbole de l'éternel recommencement, au serpent du « Livre des morts » tibétain (« Je suis le Serpent Sata qui demeure en les parties les plus lointaines de la terre. Je meurs, je renais, je me renouvelle et je redeviens jeune chaque jour. ») en passant par la Chine, justement, où il représente la *sagesse*, cet animal rampant ramasse à la pelle rêves, cauchemars, invocations, et sert d'exutoire à pas mal d'angoisses. Qui ne recule devant un serpent ? Même lorsqu'on sait très bien qu'il n'est pas venimeux, notre premier mouvement est de crainte ou de dégoût. Si sa morsure représente un danger — et même, dans certains pays, un danger mortel — notre terreur ne connaît plus de bornes.

Pourtant, si nous faisions l'effort de nous débarrasser de

vieux préjugés, nous pourrions admettre que, sur un plan strictement esthétique, c'est beau, un serpent. C'est souple, onduleux, brillant... Cela fascine, étouffe, empoisonne ou paralyse... C'est doté d'une infinité de pouvoirs quasi-magiques.

Naturellement, lorsque nous remontons à nos plus lointains souvenirs d'enfance, le premier serpent qui surgit de notre mémoire est celui qui mit une telle pagaille dans le

paradis terrestre que l'on en parle encore. Pas étonnant qu'on le considère avec crainte ! Mais c'est oublier qu'il n'était, en l'occurrence, qu'un véhicule, une apparence prise par Satan pour induire en tentation notre mère Ève. Apparence sur laquelle notre jugement s'appuie depuis des générations... Et lourde hérédité pour ces pauvres bêtes qui n'en demandaient certainement pas tant !

Cette analogie avec l'histoire sainte est celle qui nous rapproche le plus du Serpent, en tant que signe du Zodiaque chinois, car dans celui-ci, comme dans la Bible, il est le *tentateur*, le plus séduisant, le plus fascinant... Et le plus dangereux, en un sens, puisque la tradition astrologique chinoise signale qu'aucun signe, exceptés ceux du Tigre, du Singe, et quelquefois du Sanglier, n'est de taille à résister aux injections de charme − spécialité naturelle des personnes nées durant les années du Serpent. Ces créatures sont dotées d'une espèce de rayonnement interne, qui n'a rien à voir, par exemple, avec l'éclat étincelant du Dragon, mais qui irradie, envoûte, apprivoise les individus les plus rébarbatifs et sceptiques.

Les natifs du Serpent sont distingués, élégants, voire raffinés dans leur mise et dans leur comportement. Beaux ou laids, qu'importe ! ils ont « quelque chose » qui séduit, d'abord parce qu'ils sont aimables, sociables, polis. Dans les réunions, ils attirent l'attention par leur humour et la richesse de leur conversation ; ensuite ils la retiennent car l'on pressent sous cette agréable apparence un mystère, une profondeur tout à fait intéressants. C'est cette relation harmonieuse, qui « coule de source » entre un extérieur très bien élaboré, soigné, et une personnalité réfléchie, lucide, qui rend les Serpents irrésistibles, et ils le savent. Ils font attention aux deux, chouchoutant l'un et cultivant l'autre. Dotés d'un excellent pouvoir d'assimilation intellectuelle, ils apprennent sans cesse quelque chose de nouveau ; en particulier ils adorent lire et sont de vrais rats de Bibliothèque... Ensuite ils se servent des connaissances ainsi emmagasinées pour charmer leur auditoire, et y trouvent également de grandes satisfactions car ils ont besoin d'échanger des idées, de confronter des opinions : le dialogue leur est aussi indispensable que l'air qu'ils respirent. Dialogue qui, bien sûr, ne doit pas être superficiel, mais plutôt philosophique et même abstrait. Les Serpents que j'ai connus avaient pour spécialité de traîner des nuits entières en de longues discussions intellectuelles, ponctuées de silences recueillis lorsque l'un d'entre eux prononçait une « phrase historique » ou trouvait un moyen supplémentaire de refaire le monde. Converser avec un ou une Serpent est toujours agréable : ils sont profonds, intelligents, réfléchis, cultivés, et possèdent des réponses sagaces à beaucoup de questions. Leur jugement, en général dénué de parti pris, est fondé sur l'observation ; ils détestent, en vrac, les disputes, les discussions, la violence et la vulgarité. Les personnes bruyantes, qui perdent leur sang-froid, les hérissent littéralement et les font fuir dans un grand froissement d'écailles. Parmi les bruits du monde, ils ne supportent que la musique et les conversations *sotto-voce*. Ah non ! j'oubliais le bruit des applaudissements. Celui-là, les Serpents l'aimeraient même assez... ; quand ils l'ont mérité, et se sentent fiers d'eux-mêmes.

Les Serpents sont intuitifs : avec eux on pourrait même parler de « sixième sens ». Ils sentent, instinctivement, les choses avant qu'elles ne se produisent, détectent les sentiments de leurs interlocuteurs. Tout cela, ajouté à leur imagination, à leur perspicacité, en fait des êtres très bien armés dans la lutte pour la vie.

Leur comportement est calme, paisible, car ils aiment l'harmonie et la stabilité. Ils sont également adaptables, équilibrés, et dotés d'une ferme volonté, qu'ils manifestent sans hésiter lorsque leur confort moral ou matériel est menacé : dans ce cas ils réagissent avec la même vivacité vindicative que leur homonyme animal lorsqu'un maladroit lui marche sur la queue. Mais le reste du temps... ils somnolent. Les Serpents sont des partisans du moindre effort. S'ils peuvent faire un travail correctement en une heure, pourquoi en mettre deux ? l'heure gagnée leur servira à lire un livre dans un fauteuil confortable, ou allongés sur un tapis moelleux. S'ils n'ont rien à faire, ils sont d'une paresse étonnante. Ils bâillent, se promènent vêtus de charmantes « petites choses d'intérieur », font des bouquets, arrosent les plantes vertes, écoutent de la musique en changeant les objets de place. Puis ils dorment. Beaucoup. Et font la grasse matinée...

En revanche, s'ils désirent vraiment obtenir quelque chose, ils seront capables de remuer ciel et terre pour y parvenir, et même d'éliminer − discrètement − quelques concurrents. Ils sont très persévérants lorsqu'ils sont motivés.

Les Serpents ont de la chance et gagnent souvent leurs batailles. Heureusement pour eux, car ce sont de très mauvais joueurs qui détestent perdre. L'échec leur est une insulte personnelle, et ils ne supportent pas d'être insultés...

Ce sont de bons conseillers, compréhensifs et avisés, qui aiment venir en aide à leurs semblables − tout au moins quand il ne s'agit pas d'espèces sonnantes, car ils tiennent à leurs sous. Mais ils adorent qu'on les appelle au secours...

En revanche, ils ont de gros défauts : ils n'écoutent pas un mot de ce qu'on leur dit. Ils ne tiennent pas compte des conseils, ou alors les transforment et les ressortent un an après, en s'attribuant la paternité de l'idée. Ils sont capables de mentir si « les circonstances » et leur bien-être l'exigent. Et ils sont très susceptibles, détestent être mis dans leur tort, contrés, critiqués. Cela les rend agressifs, méchants, voire hypocrites, et ensuite rancuniers, et portés à la vengeance − même à long terme.

L'enfant Serpent

L'enfant né pendant une année du Serpent n'est pas difficile à élever car son souci de paix et de tranquillité est tel, dès son plus jeune âge, qu'il est capable de faire des efforts pour s'adapter à des personnalités très différentes de la sienne. De même, il cherche spontanément à faire plaisir à ses parents, à les comprendre, et aime être traité en adulte : il apprécie les confidences que l'on peut lui faire (preuve de confiance qui le rassure) et ne craint pas d'être mis en face de ses responsabilités.

Un énorme besoin d'affection

Il a en revanche un énorme besoin d'affection, de tendresse, et la moindre preuve d'intérêt dirigée ailleurs que sur lui-même l'inquiète et le démoralise.

En conséquence, si vous désirez avoir un enfant du Serpent, rappelez-vous, tout d'abord, qu'il a besoin d'être *préféré*. Très exclusif, il ne supporterait pas de partager l'amour de ses parents avec une ribambelle de frères et sœurs : il est fait pour être enfant unique, enfant-miracle, pour rassembler les bonnes fées autour de son berceau, dans un concert d'exclamations attendries et admiratives.

Il serait facile de penser que justement, le partage rendrait l'enfant Serpent moins personnel et moins exigeant. Peut-être. Mais cela servirait surtout à l'angoisser – et il compenserait en développant les défauts du signe, en devenant renfermé, vindicatif, voire sournois. Très attaché à ses parents, l'enfant Serpent est sensible à l'harmonie familiale : les disputes parentales risquent de le marquer durablement – tout comme la plus courte absence, qui serait ressentie comme un douloureux abandon. A tout prendre, cependant, il supportera mieux de demeurer, en cas de divorce, exclusivement avec l'un de ses parents, que d'être tiraillé entre les deux. Mais que le parent en question s'attende à quelques difficultés si plus tard il décide de convoler à nouveau... Il devra faire preuve, vis-à-vis de son petit Serpent, de trésors de diplomatie.

Le jeune Serpent travaille correctement à l'école, mais en suivant sa fantaisie : nul dans certaines matières, brillant dans d'autres. Il est souvent doué pour les arts et la littérature.

Il n'aime pas les jeux violents et leur préfère les activités créatives ; irrégulier dans son rythme de travail, il a besoin de repos et de détente.

Vie sentimentale

Le Serpent est parmi les plus séduisants des signes du Zodiaque chinois. La tradition recommande même aux autres animaux de ne pas hésiter à fuir devant le Serpent, car ils ne seraient pas capables de lui résister.

Pourquoi une réputation aussi dangereuse ? Parce que le Serpent a, paraît-il, la particularité suivante : il dépense une énorme énergie pour amener à sa merci ceux qu'il a décidé de séduire ; ensuite il s'enroule autour d'eux jusqu'à les étouffer. Une fois la proie consentante soigneusement immobilisée, il n'a de cesse de repartir à l'aventure, courir le guilledou et rechercher une autre victime.

Essayons de mettre un peu d'ordre dans tout cela. Effectivement, les Serpents sont des êtres exclusifs et jaloux ; ils aiment se sentir, aux yeux de leur partenaire, le centre du monde. Si à la rigueur ils acceptent que leur conjoint porte de l'intérêt à son travail (il faut bien vivre, n'est-ce pas ! et le Serpent est réaliste), ils supportent fort mal de devoir partager sur le plan physique, et encore moins sur le plan moral. C'est leur faire une injure dramatique et impardonnable que de leur laisser croire qu'on a trouvé ailleurs meilleure compréhension, meilleur dialogue.

Immobiliser leur partenaire est donc pour eux le meilleur moyen d'éviter l'inquiétude et l'angoisse...

En ce qui concerne la fidélité, c'est une autre paire de manches. Les Serpents s'en font une idée très particulière, l'homme surtout, qui a l'impression d'être parfaitement fidèle, à partir du moment où il revient régulièrement à la maison. La femme du Serpent est plus stable − mais elle déteste se sentir coincée et préfère garder un minimum de liberté et d'indépendance.

Les deux sexes ont profondément besoin de plaire, car cela leur donne l'impression d'exister vraiment. « Faire du charme » leur est donc une attitude naturelle qu'il ne faut pas prendre au tragique, car lorsqu'ils sont victimes, à leur tour, d'une scène de jalousie, ils s'éloignent encore plus.

Ce sont des sensuels, des passionnés, qui s'épanouissent dans une relation basée autant sur l'entente physique que sur le dialogue. Pouvoir discuter avec leur conjoint leur est absolument indispensable : ils aiment à échanger des idées sur leurs lectures, leurs morceaux de musique préférés, ou sur des sujets hautement philosophiques. Lorsqu'ils rencontrent ce qu'ils cherchent, ils sont faciles à vivre, plutôt tolérants, compréhensifs et conciliants : mais ils ont toujours derrière la tête une vague idée de possession − parfois malgré eux...

Le sens du dialogue

Vie familiale

Si l'homme Serpent n'a pas toujours une excellente réputation dans les pays asiatiques (il est considéré comme le Don Juan type, séduisant, coureur, inconstant, mais si charmant...), la femme du signe est paraît-il facile à marier car souvent belle, sage et excellente maîtresse de maison. Quoi qu'il en soit, les deux sexes sont très fidèles à la famille qu'ils se sont choisie, et même lorsqu'ils font quelques entorses au contrat, leur crainte viscérale des ruptures violentes les fait revenir très régulièrement au domicile conjugal. Ils sont des parents compréhensifs, mais cette compréhension nuit souvent à leur autorité, car à force de « se mettre à la place » de leurs enfants, ils finissent par ne plus pouvoir les diriger objectivement.

Les enfants nés sous le signe du Rat, du Dragon, du Coq s'entendront très bien avec un père ou une mère Serpent ; celui-ci sera amusé, voire émerveillé par cette progéniture.

Les jeunes Chèvres et les Sangliers vivront un peu trop sous la coupe de leurs parents Serpents : ceux-ci devront faire un très gros effort pour les encourager à quitter le nid familial. En revanche, un Serpent aura de grandes difficultés à supporter – et réciproquement – le caractère têtu d'un enfant Buffle, l'indépendance d'un Tigre ou d'un Cheval, l'idéalisme forcené d'un Chien. Il aura besoin de toute sa sagesse pour arrondir les angles... Avec le Singe, les rapports seront davantage basés sur la camaraderie que sur l'autorité, mais ils s'en trouveront tous deux très bien ; le Chaton, quant à lui, se sentira bien, en sécurité...

Mais que jamais un Serpent adulte n'ait un enfant du même signe : il l'étoufferait. Et le jeune Serpent aurait un mal fou, par la suite, à couper le cordon ombilical.

En règle générale, les natifs du Serpent se sentent très bien dans l'état de mariage si on leur laisse un minimum de liberté. Le côté légal de la chose les rassure et leur permet de mieux posséder leur partenaire. Mais si leur choix est mauvais, ils sont exposés à tous les dangers de l'adultère et des passions cachées. Ils ont donc intérêt à réfléchir avant de s'engager, car la moindre erreur les conduirait vers un mode de vie affective très instable – alors qu'ils ont besoin du contraire. Mieux vaut qu'ils se marient tard, et solidement pourvus d'expérience...

Une bonne Mère de famille

Vie professionnelle

Les natifs du Serpent ont, vis-à-vis de la réussite, une attitude mitigée. N'oublions pas que leur principale qualité, la *sagesse*, les éloigne considérablement des conflits, rivalités et autres luttes pour le pouvoir. L'ambition du Serpent se résume à une phrase : « pouvoir mener la vie que j'aime. » Tant qu'il est sur le point d'y parvenir, il se donne un mal de chien, tend des pièges à ses adversaires, se montre calculateur, rusé, voire hypocrite ! mais le but à peu près atteint, il se calme et se contente souvent de profiter voluptueusement de ses acquis. Aller plus loin ? A quoi cela servirait-il ? à se faire des ennemis ? à semer la pagaille ? Non, merci ! comme disait Cyrano...

Naturellement, l'exigence naturelle des Serpents, leur besoin de qualité, font qu'ils ne sont pas aisément satisfaits. C'est pourquoi ils continuent à lutter, machinalement, sans trop se fatiguer... La réussite, en plus, leur sourit. Ils savent si bien utiliser leur charme, s'insinuer dans les bonnes grâces de leurs supérieurs jusqu'à devenir complètement indispensables... Ils remplissent à merveille, et sans se mouiller, les tâches délicates de médiateur, d'intermédiaire, de relations publiques. Ils savent présenter une idée, exposer un programme avec logique, sang froid... et souplesse. Lorsqu'ils n'utilisent pas le charme comme arme principale, les Serpents le gardent en réserve − et mettent en avant une autre de leurs qualités : le sens de l'organisation. S'ils le veulent bien, ils viennent à bout de travaux difficiles, sans en avoir l'air... et sans laisser à personne l'occasion d'oublier leurs mérites. Ils savent se mettre en valeur... discrètement. Ce sont des gens intelligents, déterminés, courageux, très conscients de leurs possibilités, mais qui parfois, par paresse, laissent aux autres le soin d'agir − et même de travailler − à leur place. Quand il s'agit du triomphe final, ils reprennent le flambeau, en bâillant... Le Serpent est le plus opportuniste de tous les signes chinois. Il saura saisir toutes les occasions valables, en laissant de côté celles qui ne le sont pas. Il ira même jusqu'à vous aider − si vous pouvez lui être utile. Et puis, si ça rate... il essaiera autre chose. Il n'en est pas à une expérience près...

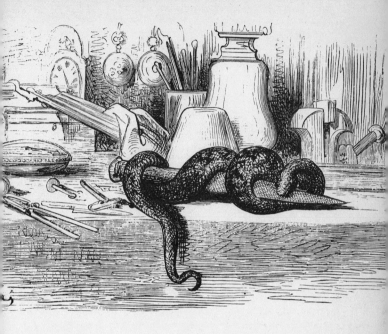

Vie matérielle

N'ayons pas peur des mots : les Serpents aiment l'argent. Ils l'aiment parce qu'il leur procure la possibilité de vivre comme ils le souhaitent, de s'entourer de jolis objets, de prendre des vacances sur des plages tropicales, de s'acheter des vêtements neufs régulièrement, et de dévaliser, avec la même avidité, libraires et disquaires. Sans argent, ces choses si agréables sont impossibles, se dit le Serpent. Donc, *il m'en faut*. Et quand un Serpent a décidé qu'il lui fallait quelque chose...

Ils n'ont absolument pas honte, en général, d'avouer cela. N'est-ce pas naturel que de chercher à avoir ce que l'on désire ? Même l'idéalisme désintéressé des Chiens ne trouve pas grand chose à répondre, devant une prise de position aussi limpide...

Un charme parfois dangereux

Donc, les Serpents sont intéressés. Ils ne sont pas du genre à tomber amoureux avant de s'être un petit peu renseignés sur le compte en banque d'un partenaire éventuel, et estiment qu'ils ne pourraient guère avoir les mêmes goûts qu'un hippie aux jeans rapiécés – à moins qu'il ne soit fils secret d'un armateur grec. Et quand on leur propose une situation, ils se renseignent immédiatement sur les possibilités financières qu'elle comporte. Pas de fausse pudeur...

Ce sont aussi des arrivistes, et ils se débrouillent pour parvenir toujours à une certaine aisance. D'ailleurs, ils ont de la chance sur ce plan, et manquent rarement d'argent.

Ils ne sont pas prêteurs. « Charité bien ordonnée commence par soi-même »... Ils ne sont pas non plus économes. Ce qu'ils ont, ils le dépensent en général rapidement, pour leur plaisir et leur bien-être : ce ne sont pas des spéculateurs, ils n'aiment pas courir des risques, comme les Tigres. Ce qui les intéresse, c'est de ne pas avoir à se priver, c'est tout. Pour cela, ils n'ont que rarement de grosses économies, comptant vaguement sur la chance et le destin, qui viendra à point nommé leur apporter une nouvelle occasion de s'enrichir... Mais ils aiment avoir une petite sécurité, un carnet de caisse d'épargne, enfin, de quoi voir venir... Ils font parfois des cadeaux, quand ils sont amoureux, ou qu'ils ont envie de séduire quelqu'un ; et ils gâtent beaucoup leur famille, mais seulement par à-coups, suivant leur envie.

Environnement

« Nous aurons des lits pleins d'odeurs légères,
Des divans profonds comme des tombeaux
Et d'étranges fleurs sur les étagères... »

Baudelaire, natif du Serpent, écrivit ces lignes si représentatives de l'univers du signe. En effet, les Serpents sont des raffinés, qui adorent les objets anciens, les meubles marquetés, les tapis persans aux couleurs délicates et un peu passées. Chez eux, pas la moindre faute de goût : partout, des harmonies de couleurs, des concordances de matière. Il est de la plus haute importance, pour leur équilibre, de vivre dans une ambiance créée par eux, à leur propre image. Exemple : si vous entrez dans l'appartement d'un Serpent, pour peu que vous soyez un brin intuitif, vous verrez tout de suite si c'est lui qui en a choisi la décoration, parce qu'elle *lui ressemble*. Si ce n'est pas le cas, tentez le pari : il déménagera bientôt − ou refera tout.

L'intérieur d'un Serpent est chose infiniment confortable. Tout y est soigneusement dosé pour concourir au plaisir des sens : couleurs, odeurs... Jusqu'à un fond de musique classique, en arrière plan. Il y a des coussins moelleux, des bougies odorantes, des fleurs aux tons étudiés, une bibliothèque bien remplie, quelques alcools rares... Tout se passe comme si notre Serpent comptait sur son « home » pour achever les conquêtes qu'il a si bien commencées.

Naturellement, il y a l'envers de la médaille : certains placards sont en pagaille, et il passe derrière vous systématiquement pour vider les cendriers et remettre à leur place les objets que vous avez déplacés d'un demi-centimètre. Mais non, ce n'est pas pour vous vexer... c'est machinal.

Où qu'il aille, le Serpent repeint les murs. Garder les couleurs d'un autre le rendrait neurasthénique. Il déteste les hôtels, le provisoire, le passager, les meublés. Il trimballe avec lui, souvent, un tas de babioles ravissantes et inutiles, qui lui servent à recréer son univers...

Pour cela, il lui est difficile de cohabiter, de s'adapter à d'autres goûts que les siens. L'environnement est peut-être le domaine dans lequel il est le moins conciliant. Il lui faudrait toujours, qu'il soit homme ou femme, sa garçonnière, son bureau, ou sa chambre personnelle. Son bien-être en dépend.

Petit guide
des relations avec un Serpent

Ses méthodes de séduction : indescriptibles. Savant mélange de charme distant, de sensualité, de gentillesse, de compréhension, le tout dosé différemment pour chaque Serpent... Seuls les ingrédients demeurent les mêmes. Ajoutons-y la séduction physique (en plus, ils sont beaux !) et une étonnante façon de persuader l'autre, par fascination ou par magie, que jamais personne ne l'a aussi bien compris.

S'il vous aime : résistez-lui tout de suite (il déteste ça !) car demain il sera trop tard. Il ne lui faut pas longtemps pour se rendre indispensable. Si vous l'aimez aussi... Bonne chance. Essayez de garder un minimum d'indépendance : il râlera mais vous estimera davantage. Or l'estime d'un Serpent est chose précieuse...

Il attend de vous : que vous lui soyiez fidèle – inconditionnellement.

Pour vous garder : il saura trouver votre point faible – le défaut de la cuirasse – et l'utilisera à fond pour vous attendrir, vous exalter, vous écouter, au choix... Il a les moyens !

S'il vous trompe : c'est pour le plaisir de vous tromper, et de se dire in petto « ha ! je l'ai bien eu »...

Si vous le trompez : il en sera profondément choqué ; s'il vous aime vraiment beaucoup, beaucoup, il essaiera de comprendre. Mais ce sera dur.

En cas de rupture : si vous parvenez à vous en dépatouiller, félicitations. Vous méritez une médaille. Car attention : tous les moyens lui seront bons pour éviter de se faire plaquer. Il déteste ça. Il déteste également rompre de lui-même, sauf s'il s'agit de vous donner une leçon...

Si vous voulez lui faire un cadeau : c'est assez facile, mais autant vous prévenir qu'il coûte cher sur ce plan. A Monsieur Serpent, offrez un objet d'art ou un livre ancien, ou une intégrale de disques classiques. A Madame, un bijou. Discret, mais vrai. Les Serpents détestent le toc. Les boutons de manchette ou le collier bon marché sont interdits, sous peine de vous en faire un ennemi méprisant...

Si vous voulez le séduire : faites-lui passer une nuit blanche. Au menu : folles caresses et confidences. Vous avez intérêt à prendre des forces, avant.

Si vous voulez le faire fuir : invitez-le à passer un week-end chez vous, et proposez-lui d'aller se rafraîchir dans la salle de bains – sans le prévenir qu'une autre de vos conquêtes est déjà dans la baignoire.

Le Serpent
et les autres signes chinois

Serpent / Rat

Drôle de mélange... Bien sûr, l'un et l'autre sont, sous un abord calme, habiles et opportunistes. Cela fait un point commun positif, surtout dans le domaine des affaires. Le Rat est actif, et le Serpent serait plutôt partisan du moindre effort. L'un secouera l'autre, l'autre calmera l'un... Les deux sont possessifs – et le Serpent a de la fidélité une notion toute relative. S'il trompe son partenaire, il admettra mal que celui-ci lui rende la pareille. Ce dernier sortira ses griffes. L'autre essaiera de l'étouffer... Cela devient de plus en plus compliqué.

Le Rat et le Serpent, en fait, n'ont pas besoin l'un de l'autre, car ils sont capables, au gré des occasions, d'utiliser les mêmes armes, avec la même efficacité. Mais ils ont l'un pour l'autre de l'estime, voire de la camaraderie. Pourvus d'humour noir, ils s'amusent bien ensemble. Si leur lien est affectif, il sera basé sur une compréhension voisine de la tolérance assez étrangère à ces deux signes – mais comment faire autrement ? Ils se percent à jour sans difficulté. Et l'agressivité du Rat s'émoussera toujours sur le sourire lisse du Serpent. Attention : relation souterraine et secrète. Ils seront les seuls à s'y retrouver.

Serpent / Buffle

Il y suffira d'un peu de bonne volonté de part et d'autre, et d'ailleurs, le Serpent s'entend bien avec presque tout le monde. Dans ce couple, le Buffle croira dominer, ce qui lui plaira beaucoup ; son conjoint Serpent, volontiers partisan du moindre effort, se gardera bien de le contredire. Il entourera le Buffle, le ligotera dans les rets de sa séduction et de sa compréhension, le complimentera sur son sérieux, son sens des responsabilités, s'appuiera sur lui avec délectation. Le Serpent aime le confort, il a de la volonté, mais, s'il trouve quelqu'un qui est prêt à travailler pour deux, il ne fera que le strict nécessaire – pour se maintenir en forme. Bref, le Buffle se fera dévorer, mais il sera content. Le Serpent sera content aussi, car il se sentira en sécurité. Rassuré quant à la fidélité de son compagnon, il se permettra quelques petits extras discrets, pour se distraire. Personne ne le saura... Et tout ira pour le mieux.

Sur le plan professionnel, ils se complèteront : l'un travaillera, l'autre réfléchira. Ensemble, ils pourront amasser une belle fortune.

Serpent/Tigre

Cela n'est guère à conseiller. En effet, le Tigre est plein d'une vitalité que le Serpent contemplatif risque de qualifier d'agitation. Il ne saura, ni ne voudra, suivre le rythme trépidant que son compagnon a l'habitude d'imposer à son entourage.

En outre, bien que paisible, réfléchi et parfois paresseux, le Serpent n'a aucun besoin d'être dynamisé : il est capable de se débrouiller efficacement, à sa façon, et déteste les conseils. Il est parfois dogmatique, chose qu'aucun Tigre ne supporte ; puis, il est possessif, sinueux, empruntant volontiers la ligne courbe plutôt que la ligne droite, si cela lui semble plus utile. En bref il pense à la fin, alors que le Tigre pense, en plus, aux moyens, et les souhaite admirables... Ils ne se comprendront guère, et s'éviteront souvent : le Tigre se méfiera des méandres du Serpent, et celui-ci évitera le Tigre, car il est assez intelligent pour se rendre compte qu'on ne peut posséder pareil animal.

En revanche, quelle belle alliance d'affaires ! ils se complèteront à merveille, l'un prenant les risques, l'autre les calculant dans les coulisses. Mais ils ne doivent pas vivre ensemble, car le Serpent trahirait le Tigre, et celui-ci le détruirait.

Serpent/Chat

Ils ont en commun l'amour du calme, de la sécurité, et le goût de l'esthétique. Dans une vie, ils auront tendance à privilégier les mêmes domaines : maison, environnement, confort, beauté des objets et des lieux... On les imagine bien en couple de décorateurs. Pour avoir la paix, le Chat aura

Serpent/Tigre : le Serpent évite généralement une telle union

la sagesse de laisser croire au Serpent qu'il est son seigneur et maître − tout au moins sur le plan affectif.

Mais les hésitations du Chat, et surtout, son côté vertueux, énerveront le Serpent, dont le sens des valeurs est beaucoup plus élastique.

Cependant, que ce soit sur le plan affectif ou amical, ce lien leur sera profitable à tous deux. A force de patience, le Chat parviendra peut-être à faire accepter au Serpent une opinion extérieure ; et ce dernier, qui ne craint pas le danger et s'adapte à toutes les situations, rendra le Chat plus philosophe.

Serpent / Dragon

Une des meilleures ententes possibles, traditionnelle-ment, pour le Dragon – surtout lorsque la femme est Serpent. En effet les dames Serpent sont sages, séduisantes, élégantes. L'homme Dragon a besoin d'être fier de son épouse, tout en se sentant le plus fort, et aucun Serpent n'aura la bêtise de faire des histoires' pour obtenir un pouvoir apparent. La manœuvre souterraine lui convient tellement mieux...

Si la femme est Dragon, c'est plus délicat : elle souhaitera en effet être adulée par son conjoint Serpent ; il le fera un temps, par gentillesse... mais en s'enroulant autour d'elle comme un boa. Les dragonnes n'aiment pas se sentir étouffées...

Cependant, mis à part le besoin de « briller à tout prix » du Dragon, et la possessivité du Serpent, cette relation est à recommander, car, somme toutes, ces voisins du zodiaque chinois s'estiment, et se déçoivent rarement : le Dragon a trop le sens de l'honneur pour déchoir, et le Serpent est assez tolérant pour rengainer les critiques que lui inspirent les flammes et les turbulences de son partenaire.

Serpent / Serpent

En amitié, et dans le travail, les Serpents s'apprécient à leur juste valeur. Ils s'amusent à se jouer des tours, à se tendre des pièges, pour le seul plaisir de voir l'autre y échapper, avec un petit sourire narquois. Ils se font rire, s'aiment bien. A petites doses... En effet l'astrologie chinoise est formelle sur ce point : deux Serpents ne peuvent vivre ensemble, car ils s'étoufferaient mutuelle-ment. Ceci est vrai pour toutes les relations entre Serpents, et particulièrement en amour et entre parents et enfants. Quand ces délicieux ophidiens se côtoient trop fréquem-ment, ils s'éteignent mutuellement, comme on souffle une chandelle. Et vu qu'ils s'en rendent compte, et que leur discrétion est loin d'aller jusqu'à l'effacement, ils sont furieux.

Si vous êtes un Serpent, et si vous aimez quelqu'un de votre signe, un conseil : ne vivez pas ensemble. Rencon-trez-vous de temps en temps, pour le meilleur : au-delà d'une fois par semaine cela deviendrait vite le pire.

Serpent/Cheval

Le Cheval sera souvent séduit par le Serpent, et lui restera à peu près fidèle, en ce sens qu'il aura l'impression − ô combien trompeuse ! − d'être libre comme l'air, alors qu'en fait son conjoint Serpent, lové dans un coin de son cerveau imaginatif, sera sans cesse présent et indispensable. De son côté, le Serpent philosophe ne se formalisera pas trop d'être parfois considéré comme un meuble, et saura se trouver des centres d'intérêt. Le Cheval le distraira par ses sautes d'humeur. Il aura l'impression d'être au cirque !

Mais un jour viendra où l'égoïsme du Cheval lassera son conjoint Serpent qui n'aura aucune peine à le remplacer. Cela ne sera pas un mal, au fond, car cela évitera au Cheval de se faire digérer...

En fait cette relation est positive et exaltante, soit dans la phase initiale − quand le Cheval est encore aveuglé par la passion − soit lorsqu'il y a un obstacle extérieur à vaincre. S'il n'y en a pas, d'ailleurs, ils arriveront bien à en inventer...

Serpent/Chèvre

Pour s'entendre, ils peuvent s'entendre. Là n'est pas le problème... En effet le Serpent apprécie infiniment la fantaisie, l'imagination et la créativité caprines. L'amour de l'art, de la beauté et de l'harmonie les réunira souvent. Et ils se disputeront rarement. Trop fatigant...

Mais lequel des deux travaillera ? La Chèvre est irrégulière sur ce plan, et assez mal organisée. Qu'elle ne compte pas sur le Serpent pour faire ses comptes : il en a bien assez avec les siens. Et lorsqu'il travaille et gagne de l'argent, c'est pour lui : moi d'abord ! à la rigueur, un petit cadeau, de temps en temps...

S'ils ont fait un héritage, ils vivront paisiblement, créant de temps en temps quelque chose, autant pour se faire plaisir que pour gagner un peu d'argent... Histoire de prouver aux autres qu'ils peuvent le faire.

Ils se moqueront sans pitié des victimes du métro-boulot-dodo.

Ils se vautreront dans leur égoïsme respectif, et même si parfois la Chèvre tire un peu sur la corde, cela finira par s'arranger. La rancune, le divorce ? trop fatigant...

Serpent/Singe

Excellente entente intellectuelle. Sur ce plan, ils sont les plus « doués » du Zodiaque chinois. Ils assimilent facilement, réfléchissent vite et sans effort, s'adaptent à peu près à tout...

Ils se complètent : le Singe est plus habile en apparence, le Serpent l'est en profondeur. Vraiment, cela ferait une excellente équipe professionnelle, imbattable, bourrée d'idées et de possibilités. Qu'ils s'associent sans hésiter !

Mais affectivement, c'est une autre histoire. En effet, le Singe est traditionnellement un des rares signes suscepti-

Serpent/Singe : excellente entente intellectuelle

bles d'échapper à l'emprise du Serpent. En bref il ne se laissera pas dévorer, et le Serpent, écœuré, n'insistera pas longtemps : il ira chercher une proie plus consentante. Leur fidélité réciproque risque fort de ne pas durer...

Qu'ils soient donc amis ! ce sera tellement plus facile, et profitable...

Serpent/Coq

C'est le « couple idéal » de l'astrologie chinoise. Traditionnellement, ils représentent l'esprit et la matière, tendant à s'équilibrer dans une harmonieuse unité. Plus prosaïquement, ils s'entendent fort bien. D'abord parce qu'ils apprécient beaucoup leur élégance mutuelle. De vraies gravures de mode ! pour un peu, ils achèteraient des vêtements assortis... Ils s'aiment pour leur flatteuse apparence. Ceci dit, ils se comprennent parfaitement. Le Coq pourra chanter en paix ! entre deux cocoricos, il racontera ses exploits au Serpent, qui les commentera avec humour. Ce dernier se sentira sécurisé par le côté travailleur du roi des basses-cours, qui – enfin ! se sentira compris, accepté tel qu'il est, et non pas jugé sur son brillant plumage.

Le Coq et le Serpent sont complices. Et même s'ils se disputent, en général à la suite d'une infidélité, le dialogue les rapprochera toujours : en effet ils adorent philosopher ensemble, des nuits entières...

Serpent/Chien

Les Chiens, en général, aiment beaucoup les Serpents. Ils les apprécient pour leur sagesse et leur profondeur – et oublient leur côté intéressé et arriviste. Ils les idéalisent volontiers, car les Serpents les sécurisent par leurs qualités de réflexion. On peut se demander pourquoi. Mais c'est comme ça !

Quant à eux, les Serpents admirent sincèrement l'honnêteté des Chiens, même s'ils ne sont pas disposés à les imiter. Cela peut donc marcher plutôt bien – tant que le Serpent acceptera d'être idéalisé, ce qui ne saurait lui suffire longtemps, car, en amour, il aime la difficulté. Alors il s'en ira batifoler de droite et de gauche, après avoir complètement immobilisé son conjoint Chien, qui continuera pendant ce temps à s'occuper de l'intendance. Eh oui ! le Chien ne résistera guère. En plus, il sera content, car son Serpent reviendra régulièrement s'enrouler autour de lui, histoire de le maintenir en dépendance. L'un par amour, l'autre par tendresse, ils iront loin, cahin-caha. Et puis, après tout, s'ils sont heureux comme ça...

Serpent / Sanglier

Pas évident... Le Sanglier risque fort, au début de la relation, de se faire complètement berner par le Serpent, dont l'honnêteté est relative − et très personnelle. La bonté naturelle du Sanglier agacera souvent le Serpent, qui la qualifiera − parfois à tort, mais pas toujours − de crédulité, voire d'innocence. Et qui ne se privera pas de hausser les sourcils − l'hypocrite ! − quand le Sanglier se laissera aller à quelques propos légers et grivois.

Malgré ces difficultés, leur sensualité puissante les réunira − même si elle ne s'exprime pas de façon identique. Si bien qu'au bout de peu de temps le Serpent mangera du Sanglier, cuit à l'étouffée... Mais là intervient la surprise : le Sanglier, en effet, réagira vite et saura − à coups de défense s'il le faut − se dégager de l'emprise du Serpent, car il est, comme le Singe et le Tigre, capable de lui résister. Non sans y laisser quelques poils. Qu'il fasse donc attention avant d'aller se fourrer entre les anneaux de ce dangereux reptile. Et que ce dernier, de son côté, ne prenne pas le Sanglier pour un Cochon-tirelire, sous peine d'avoir de mauvaises surprises.

BREVIERE

CÉLÉBRITÉS DU SERPENT

Baden-Powell, Bartok, Baudelaire, Borodine, Brahms, Louis Braille, Pierre Brasseur, Jacques Brel, Calvin, Réal Caouette, Casanova, Joseph Conrad, Copernic, Cortès, Darlan, Darwin, Diderot, Gustave Doré, Dostoïevski, Fauré, Marc Favreau, Fayçal d'Arabie, Flaubert, Fleming, Henry Fonda, Gandhi, Greta Garbo, Alain Gerbault, Paul Getty, Gide, Gladstone, Goethe, Gogol, Grâce de Monaco, Jules Guesde, Hassan II, Haussmann, Henry Heine, Jean XXIII, John Kennedy, Pierre Lalonde, Landru, Lincoln, Harold Lloyd, Louis-Philippe, Louvois, Martin Luther King, Mao Tsé Toung, Madame Mao, Martin du Gard, Matisse, Mendelssohn, Miro, Montaigne, Montesquieu, Nobel, Paolo Noël, Jacqueline Onassis, Parmentier, Picasso, Edgar Poe, Denis Potvin, Proudhon, Régine, Richelieu, Rochambeau, Sartre, Schubert, Surcouf, Madame Tallien, Teilhard de Chardin, Tennyson, Thiers, Vidocq, Vigny, St Vincent de Paul, Mae West.

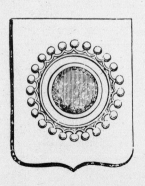

2ᵉ partie :

LE COMPAGNON DE ROUTE

臂髀脛足指各自異處，飛鳥走獸競來食之天龍鬼神帝王人

亦當然是身爲死物精神無形法假令死復生罪福不敗亡終

**Après le signe chinois de
votre année de naissance,
voici celui
de votre heure
de naissance.**

Qu'est-ce qu'un Compagnon de route ? Une sorte
« d'Ascendant » en correspondance avec votre heure de
naissance, un autre animal appartenant au cycle des douze
animaux emblématiques chinois. Un compagnon vous
emboîtant le pas, prêt à vous porter secours, défiant pièges
et embûches sur votre route, ombre permanente et
bénéfique rendant possible l'impossible.

C'est un complément, un *plus* : avec son caractère
propre, sa tendance, sa psychologie différente, il sera à la
fois témoin et acteur de votre vie, ange gardien et avocat du
diable.

N'avez-vous pas déjà ressenti, au fond de vous, la présence subtile d'un autre « moi-même », avec lequel vous vivez, tantôt en harmonie, tantôt en conflit ? Qui tantôt vous critique, tantôt vous encourage ? C'est cela, le Compagnon de route.

Il fera parfois figure d'imposteur, d'importun. Il est vrai qu'il dérange souvent nos habitudes, notre confort moral ou spirituel. Avec ce double intérieur, la route est moins monotone et le voyageur multiplie ses chances d'arriver au but qu'il s'est fixé, peu importe le but — seul compte le voyage. Le plus grand danger venant du sommeil, il est utile d'avoir un Compagnon capable de vous maintenir en « état d'éveil », renversant pour cela, si nécessaire, vos points de repères, piétinant vos jardins secrets, déchirant enfin le grand voile de l'illusion.

Il arrive quelquefois que le Compagnon de route soit le signe même de votre année de naissance, un frère jumeau en quelque sorte, par exemple : un Serpent/Serpent. Dans ce cas sachez qu'il vous acculera à vous assumer pleinement et à vivre le double aspect, le Yin et le Yang que vous portez en vous... De toute façon vous portez en vous les douze Animaux. Alors partez sur la longue route, pour la grande aventure, le beau voyage au cours duquel vous croiserez harmoniquement enchevêtrés le solennel et le grotesque, le réel éphémère, le rêve et l'imaginaire.

97 moins ou 9.93 ou polaire 13.45

Tableau des correspondances horaires
des douze animaux emblématiques

Si **vous êtes né** entre 23 h et	1 h votre **compagnon** est Rat
1 h et	3 h	Buffle
3 h et	5 h	Tigre
5 h et	7 h	Chat
7 h et	9 h	Dragon
9 h et	11 h	Serpent
11 h et	13 h	Cheval
13 h et	15 h	Chèvre
15 h et	17 h	Singe
17 h et	19 h	Coq
19 h et	21 h	Chien
21 h et	23 h	Sanglier

Ces données correspondent à *l'heure solaire* de votre naissance. Vous devez consulter la liste des heures d'été pour savoir si vous devez retrancher une heure de l'heure légale.

Heures d'été au Québec depuis 1918

1918: du 14 avril au 27 octobre
1919: du 31 mars au 26 octobre[1]
1920: du 2 mai au 3 octobre
1921: du 1 mai au 2 octobre
1922: du 30 avril au 1 octobre
1923: du 17 juin au 1 septembre
1924: du 15 juin au 10 septembre[2]
1925: du 3 mai au 27 septembre
1926: du 2 mai au 26 septembre
1927: du 1 mai au 27 septembre
1928: du 29 avril au 30 septembre
1929: du 28 avril au 29 septembre
1930: du 27 avril au 28 septembre
1931: du 26 avril au 27 septembre
1932: du 24 avril au 25 septembre
1933: du 30 avril au 24 septembre
1934: du 29 avril au 30 septembre
1935: du 28 avril au 29 septembre
1936: du 26 avril au 27 septembre
1937: du 25 avril au 26 septembre
1938: du 24 avril au 25 septembre
1939: du 30 avril au 24 septembre
1940*: Heure de guerre avancée
1941*: Heure de guerre avancée
1942*: Heure de guerre avancée
1943*: Heure de guerre avancée
1944*: Heure de guerre avancée

1945*:   au 30 septembre
1946: du 28 avril au 29 septembre
1947: du 27 avril au 26 septembre
1948: du 26 avril au 26 septembre
1949: du 24 avril au 30 septembre
1950: du 30 avril au 24 septembre
1951: du 29 avril au 30 septembre
1952: du 27 avril au 28 septembre
1953: du 26 avril au 27 septembre
1954: du 25 avril au 26 septembre
1955: du 24 avril au 25 septembre
1956: du 29 avril au 30 septembre
1957: du 28 avril au 27 octobre
1958: du 27 avril au 26 octobre
1959: du 26 avril au 25 octobre
1960: du 24 avril au 30 octobre
1961: du 30 avril au 29 octobre
1962: du 29 avril au 28 octobre
1963: du 28 avril au 27 octobre
1964: du 26 avril au 25 octobre
1965: du 25 avril au 31 octobre
1966: du 24 avril au 30 octobre
1967: du 30 avril au 29 octobre
1968: du 28 avril au 27 octobre
1969: du 27 avril au 26 octobre
1970: du 26 avril au 24 octobre
1971: du 25 avril au 31 octobre
1972: du 30 avril au 29 octobre
1973: du 29 avril au 28 octobre
1974: du 28 avril au 27 octobre
1975: du 27 avril au 26 octobre
1976: du 25 avril au 31 octobre
1977: du 24 avril au 30 octobre
1978: du 30 avril au 29 octobre
1979: du 29 avril au 28 octobre
1980: du 27 avril au 26 octobre
1981: du 26 avril au 25 octobre
1982: du 25 avril au 31 octobre
1983: du 24 avril au 30 octobre

(1) Pour Sherbrooke: du 30 mars au 26 octobre 1919.
(2) Pour Montréal: du 17 mai au 28 septembre 1924.
*Heure de guerre avancée toute l'année. Toutefois certains petits
 villages n'ont pas toujours suivi l'heure avancée.

Position par rapport à Greenwich

Consultez maintenant la carte du Québec indiquant la position des principales villes par rapport au méridien de Greenwich. Selon la position de votre ville ou village natal par rapport à Greenwich, il convient de retrancher un certain nombre de minutes.

(Certains astrologues utilisent l'heure de Pékin. Pour la trouver, il suffit d'ajouter huit heures à l'heure solaire de votre naissance.)

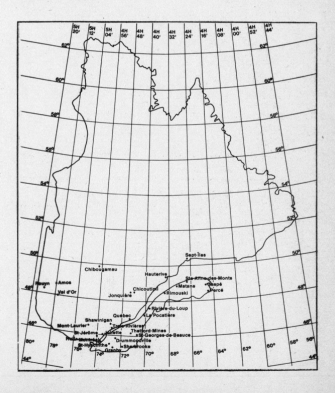

**LE SERPENT
ET SON COMPAGNON
DE ROUTE**

LE SERPENT/RAT

Ils sont frères, mais ils se combattent sans merci. Leur territoire est le même, mais ils l'ont gagné à coups de morsures et de griffes, de venin et de ruses. Ces deux voyageurs sont maîtres dans l'art de l'attaque, par ailleurs ce sont des intuitifs, envoûteurs professionnels, à coups « d'hypnose mutuelle » vous risquez de vous fasciner vous-même, et de sombrer dans l'étude de votre nombril. Le Serpent ne se prêtera point à ce petit jeu, et pour son compagnon Rat, il restera toujours le mystérieux ophidien lové sous la pierre et l'entraînant parfois dans de périlleux labyrinthes.

LE SERPENT/BUFFLE

Le côté « Buffle » paisible de cette personnalité sera souvent désorienté par l'agressivité du Serpent qui peut créer en lui un pôle de violence enfouie, souterraine. Le Buffle tranquille, le regard fixé sur la ligne bleue de l'horizon, ne comprendra pas les entrées en scène du reptile, ses attaques, ses cachettes, sa démarche sinueuse. Il sera souvent tenté de l'écraser sous son sabot, d'où de douloureux conflits internes. Le Buffle lent sera par ailleurs stimulé par l'ophidien mystérieux, l'entraînant dans des terrains marécageux, lui enseignant l'attente sous la pierre. Si le Serpent déconcerte, il enseignera certainement au compagnon Buffle qu'il y a des routes qu'il faut parfois savoir contourner.

LE SERPENT/TIGRE

Est du genre envoûteur professionnel, rusé et perfide au besoin, l'emploi de la morsure et du venin ne lui fera pas peur afin d'arriver à ses fins. Toutefois la tempérance l'emportera sur l'agressivité du Serpent mal aimé. Le Serpent qui a un Tigre pour compagnon peut être capable de connaissance et de préhension du monde souterrain méconnu par ce fauve trop habitué aux honneurs dus à son rang, et oublieux parfois de ceux qui rampent – mais accomplissent le même chemin. Le Serpent qui est en vous peut feindre de s'effacer, que lui importe, il est prince des détours et des méandres. Mais attention à ne pas tomber vous-même dans les pièges que vous tendez aux autres.

LE SERPENT/CHAT

Une créature étrange dont on distingue difficilement la tête et la queue : on ne sait trop par quel bout la prendre. Les griffes d'un côté, de l'autre le venin... Amoureux de l'étrange, mais pas un aventurier, le Serpent/Chat aurait tendance à envisager le voyage, bien lové au fond d'un fauteuil moelleux. Mais « habité » par un prince des méandres, il a le goût du suspense, du mystère, du souterrain, dénichant les cachettes sous la pierre, n'hésitant pas à se faire couleur de muraille, pour le plaisir de vous troubler, de vous surprendre, de vous déconcerter. Insaisissable, habile, fuyant, il est aussi dangereux que séduisant. Si vous croisez un Serpent/Chat, pincez-vous, c'est un envoûteur professionnel – il vous aura au charme, voire au chantage.

LE SERPENT/DRAGON

Animal, chanceux et rusé, le Serpent/Dragon est un voyageur auquel le destin sourira, et ce qu'il ne pourra obtenir par la force et le charme, il l'obtiendra par la malice et l'envoûtement. Si le Dragon a parfois le tort d'être un peu lourd, un peu carré, le Serpent lui fera découvrir la discrétion, les détours et la patience. Bête redoutable, pleine de charme « piquant »... Vous y ajouterez une pointe de mystère qui ne manquera pas de faire frissonner vos partenaires de plaisir, ou de peur, ceci n'étant qu'une question d'appréciation personnelle.

LE SERPENT/SERPENT

Qu'il soit à sonnettes, à lunettes ou minute, il préférera les détours et les contours à la route bien tracée. Mais le résultat sera le même, il arrivera au but qu'il s'est fixé, lentement mais sûrement. Le Serpent/Serpent ne pourra en effet s'empêcher de compliquer les situations. Lorsqu'elles lui semblent trop simples, il s'ennuie. Il lui faut toujours un peu de sel, un peu de piquant, à moins que ce ne soit de l'humour chez lui. C'est un animal compliqué, toujours sur la défensive, un tantinet agressif, cultivant avec ardeur le sens de la propriété dont il fait un véritable refuge, ou une caverne d'Ali Baba, entassant des trésors qu'il couve jalousement. Si vous le croisez sur votre chemin, faites un détour, même si vous n'en avez pas peur : cela lui fera tellement plaisir...

LE SERPENT/CHEVAL

Un sage dandy... Mêlant l'élégance et l'ardeur à des exigences morales très développées, qui peuvent cependant parfois entrer en conflit avec son orgueil, car le Serpent/Cheval ne supporte pas l'échec. C'est un gagnant, il n'hésitera pas à être opportuniste, rusé, mauvais joueur, ne tenant ni sa langue, ni son cœur. Toutefois, le Serpent/ Cheval ayant un charme assez irrésistible, on lui pardonnera sa mauvaise foi, sa vantardise et même ses pointes de méchanceté... Alors n'en abusez point !

LE SERPENT/CHÈVRE

Pour qui le croisera sur sa route, il sera plutôt dangereux d'en tomber amoureux. En effet, côté fidélité, impossible de lui faire confiance. Cet ophidien-chèvre est un être volage, plein de fantaisie, un artiste, qui vous fera devenir « chèvre » si vous entreprenez de le séduire. Il se montrera d'abord docile, recherchera votre protection, mais ensuite il vous mènera joyeusement... par le bout du nez. Lui-même sera exclusif et jaloux, car les contradictions ne le gênent guère, et sa mauvaise foi est désarmante. Dans la vie il aura beaucoup de chance, de bon goût et de finesse, mais son instabilité lui causera des torts qui ne seront hélas pas toujours réparables, surtout dans sa maturité.

LE SERPENT/SINGE

Sera lucide et organisateur, mais il ne pourra dissimuler un très fort complexe de supériorité, ce qui lui causera de graves problèmes s'il n'y prend garde. Animal intelligent et rapide, il tempérera sa tendance à s'emballer par une réflexion profonde, mais il refusera toujours d'écouter les conseils d'autrui, par orgueil et par culte de sa personnalité. Il n'appréciera guère que l'on discute ses idées, encore moins que l'on remette en cause son travail ou ses paroles. Le Serpent/Singe est bavard, chevaleresque et parfois menteur... Toutefois son habileté et sa subtilité représentent de sérieux atouts.

LE SERPENT/COQ

Animal intuitif et franc, il accomplira sa route avec un cœur généreux, beaucoup de volonté et d'honnêteté, corrigeant ainsi sa tendance au détour – ce qui ne l'empêchera pas d'être inquiet malgré son apparente assurance. En effet le Serpent/Coq est d'humeur soupe-au-lait, assez versatile, gare à vous s'il est dans ses mauvais jours, il vous attaquera avec une agressivité surprenante et parfaitement injuste, histoire de se rassurer ; n'essayez pas de le mettre devant l'évidence d'une pareille mauvaise foi, il se montrerait borné, et ne vous pardonnerait jamais d'avoir découvert son point faible. Le Serpent/Coq tient beaucoup à son image de marque, il aime briller, tout en s'entourant de jolies choses coûteuses, et souvent superficielles, mais qui sont vitales pour son moral.

LE SERPENT/CHIEN

Est divisé entre un sens aigu de la moralité et un fait prononcé de l'opportunité. C'est également un intuitif, mais il a tendance à être pessimiste, avec lui la vie devient très compliquée. C'est un excessif tourmenté, qui sera du genre à annoncer la tempête, au moindre petit brin de vent, et le déluge pour quelques gouttes de pluie. Toujours à l'affût, sur ses gardes, il risque de jouer les persécutés, les écorchés-vifs dont on ne recherche pas spécifiquement la compagnie... C'est dommage car le Serpent/Chien est plein de courage et de chaleur, il sait être fidèle, mais il a besoin d'être aimé et rassuré.

LE SERPENT/SANGLIER

Il est paisible, secret, sensible, mais plutôt mauvais joueur, avec une bonne foi très discutable. Il n'aime pas perdre, et préfère la solitude du misanthrope au risque d'échec. Inutile d'essayer de l'entraîner : il est du genre obstiné, méfiant. Pourtant, cela ne l'empêche pas d'être crédule et de se faire avoir, alors il oscille entre l'agressivité et la fuite, car au fond de lui-même c'est un tolérant, mais trop orgueilleux, il ne veut pas donner raison à son adversaire... Bien qu'il semble très au-dessus de cela, le Serpent/Sanglier aime l'argent pour l'argent, adorant amasser trésors et butin. Apparemment calme, dans son for intérieur, il bouillonne. Cet ophidien solitaire n'est pas un tiède : c'est un dur... au cœur tendre.

LE SERPENT ET LES CINQ ÉLÉMENTS

滅身冷風先火次魂靈去矣身體倥直無所復知旬日之間肉

無工夫、則動時固動靜時雖欲求靜亦不可得而靜、靜亦動也。

VOTRE ÉLÉMENT

Dans l'astrologie chinoise, chaque année est associée à un Élément. Ces Éléments sont au nombre de cinq : *Eau, Feu, Bois, Métal, Terre.*

Chacun des douze animaux emblématiques sera donc successivement rattaché à chacun des cinq Éléments. Par exemple, en 1900 le Rat est Terre, en 1912 il est Feu, en 1924 il est Métal, en 1936 il est Eau, en 1948 il est Bois.

Pour déterminer l'Élément correspondant à l'année de votre naissance, utilisez les concordances figurant ci-dessous :

Années se terminant par 1 et 6 : Eau
2 et 7 : Feu
3 et 8 : Bois
4 et 9 : Métal
5 et 0 : Terre

Un même mariage *Animal-Élément* revient donc tous les 60 ans ; exemple : Rat-Terre : 1960 - 1900 - 1840 - 1780 - 1720 - etc.

Ces cinq Éléments sont des forces essentielles agissant sur l'univers, associés aux signes, voilà le fondement de tout horoscope. Mouvance et fluctuance, Yin et Yang, ces forces-symboles sont en perpétuelle action et inter-action.
Le Bois enfante le Feu qui enfante la Terre, qui enfante le Métal qui enfante l'Eau qui à son tour enfante le Bois...

LE SERPENT/EAU
(vous êtes né en 1941)

Au Nord, dans le ciel, naquit le froid, descendant sur la terre il engendra l'Eau. Pour la Chine, l'Eau est plus synonyme de froideur et de glace que de fertilité.

La tendance Serpent/Eau

Eau des nuits d'hiver, froideur, rigueur et sévérité, eau calme et profonde engendrant crainte et respect, eau dormante abritant des démons sous-marins qui sommeillent. Eau fétide et boueuse des marais. Refuge des rampants, et des serpents.
Le Serpent amoureux de l'humidité sera attiré par l'eau, celle des marais, des étangs, eau stagnante de la vase, de la tourbe et des bambous. Cette Eau ne sera pas tonifiante et vivifiante pour le Serpent, elle pourra provoquer un

ralentissement, voire une immobilisation de sa course sinueuse, dangereuse pour cet ophidien à tendance Yang, symbole d'énergie horizontale. Le Serpent/Eau devra donc considérer l'Eau comme un élément de passage, un moyen, un outil, et non un but...

La santé Serpent/Eau

L'organe Eau est le rein. Son goût est le salé. Recherchez les eaux tonifiantes, les bains de mer, les torrents, les sources — et non les bains de boue, bien qu'ils soient excellents pour les rhumatismes — alliés au soleil, qui est pour vous vital.

Le Serpent/Eau et les autres

Le Serpent/Eau sera calme et sage : chez lui la réflexion dominera l'action. Au niveau de la société, l'élément Eau sera souvent bénéfique, apaisant le côté hyper actif du Serpent, l'attirant vers la méditation, lui offrant la possibilité de gouverner, de maîtriser, de contrôler. Le Serpent/Eau sera alors juste et honnête, ses paroles porteront et les hommes l'écouteront, se laissant guider par sa sagesse et sa mesure. Le Serpent/Eau sera un non violent, ennemi de la colère et de l'agressivité, de la force non contrôlée, il sera entièrement tourné vers ses semblables, à l'écoute de leurs problèmes. Excellent psychologue, homme de loi avisé, c'est à la fois un meneur à tête froide, et un homme de cœur.

Des conseils pour un Serpent/Eau

Vous avez des qualités qui ne demandent qu'à être utilisées, pour les autres et pour vous-mêmes ; sachez les découvrir et les mettre en pratique — sinon elles se retourneront contre vous, vous paralysant, vous condamnant à être un éternel velléitaire.

UNE ANNÉE SERPENT/EAU

Le point culminant pour une année Serpent/Eau sera la saison d'hiver, période de gestation. Le Yin de l'Eau équilibrera le Yang du Serpent.

Profitez de cette année pour vous tonifier, vous rééquilibrer. L'activité vous réussira, mais évitez le surmenage, qui est souvent suivi de dépression, pas d'excès, maintenez l'équilibre, ne dépensez pas vos énergies inutilement. Vous gâcheriez tout en voulant aller trop vite et trop loin.

Exemple historique d'une année Serpent/Eau

1521

Par une série de trois Manifestes, Luther vient d'ouvrir l'ère de la Réforme, et de fonder le protestantisme allemand, en rompant avec l'Église catholique romaine. Au début de 1521, à Worms, Charles-Quint préside une diète qui condamne les agissements hérétiques de Luther, et le somme de s'expliquer publiquement.

« Luther vint en voiture, vêtu de son costume de moine, entouré d'une centaine de cavaliers qui lui faisaient une garde d'honneur. » Un portrait de Cranach le montre alors amaigri, le visage ravagé par les orgaes de la vie intérieure, mais les yeux étaient vifs, pleins de feu. En route, il prêcha à Erfurt, à Gotha, devant des foules. A Erfurt, après l'avoir entendu, les étudiants pillèrent la maison des chanoines. Le 17 avril, il comparut une première fois. L'official de Trêves lui posa deux questions : reconnaissait-il pour siens les livres qu'on lui présentait ? Était-il prêt à se rétracter ? Sur le premier point, il répondit affirmativement. Pour le second, assez troublé, il demanda à réfléchir. L'empereur lui accorda jusqu'au lendemain. A la seconde audience, d'une voix ferme, il prononça un discours préparé durant la nuit. Il ne reniait rien. Il ne rétractait rien. Il avait pour lui Dieu et la vérité. *« Je suis lié par les textes que j'ai apportés et ma conscience est captive dans les paroles de Dieu. »* Pendant quelques jours encore, diverses démarches furent faites auprès de lui par l'archevêque de Trêves pour l'amener à céder sur quelque chose, de façon à éloigner la décision. Il refusa et quitta la ville le 26. En mai parut l'édit qui le mettait au ban de l'empire : nul ne pouvait lui donner le vivre et le couvert ; chacun devait s'employer à le découvrir, à le saisir et à le livrer au pouvoir impérial. Ces prescriptions solennelles ne l'empêchèrent pas de demeurer en Allemagne et d'y vivre en paix jusqu'à la fin de ses jours. (*Histoire de l'Allemagne,* Pierre Gaxotte, Flammarion).

Mais le schisme suscitera l'une des plus sanglantes guerres politiques et religieuses de l'histoire.

LE SERPENT/BOIS
(vous êtes né en 1953)

A l'Est dans le ciel souffla le vent, et de sa tiède caresse à la terre naquit le Bois.

La tendance Serpent/Bois

Le Bois est du matin, du printemps, d'une nature tempérée, amoureux de la beauté, de l'harmonie et de l'élégance. Le printemps sera fécond pour le Serpent, il lui apportera équilibre et sens de la création, il développera encore plus son bon goût, son désir d'harmonie et de beauté, la nature deviendra son alliée, son inspiratrice, source et fontaine auxquelles le Serpent ira s'abreuver, se tonifier, découvrant ses multiples pouvoirs, ses secrets... Mais le Bois est aussi facteur de passion, de colère, de susceptibilité, excessif, il a tendance à se laisser emporter et devient alors destructeur et dévastateur. Le Serpent devra rester vigilant, lucide, et s'efforcer de ne pas céder à cet aspect négatif de son élément.

La santé Serpent/Bois

L'organe Bois est le foie, son goût est l'acide. Le Serpent/Bois sera angoissé, tourmenté, et les maladies qui l'atteindront seront d'abord et avant tout d'ordre psycho-somatique. En cas de déséquilibre, il aura besoin de compenser souvent par la gourmandise : pâtisseries et sucreries feront l'affaire du Serpent, mais pas de son foie...

Le Serpent/Bois et les autres

L'élément Bois aura une bonne influence sur le Serpent, face à la société. En effet, conscient de ses faiblesses, qui sont angoisse et remise en cause, il réagira par une attitude décontractée, préférant laisser libre cours à son imagination plutôt que de se plier aux rigides structures d'une société dans laquelle il se sent asphyxié. Attitude juste et raisonnable, convenant doublement au Serpent qui préfère

le cercle au carré, la courbe à l'angle. Improvisant à bon escient, l'ophidien se tirera merveilleusement des situations les plus critiques, il glissera, se faufilera, laissant passer l'orage et faisant son apparition le plus tranquillement du monde. Inventif et créateur, il sera peintre, poète, musicien, artisan, ou encore jardinier, arboriculteur, paysagiste, conjuguant la beauté à l'espace.

Des conseils pour un Serpent/Bois

Vous êtes symbole d'harmonie, de charme et de beauté, vous rêvez d'espace et de liberté. Soyez décontracté, imaginatif, artiste dans l'âme, ne vous trompez pas de chemin, en vous enfermant dans un bureau, un standing, un carcan... Étant de Bois vous finiriez par vous dessécher.

UNE ANNÉE SERPENT/BOIS

Le point culminant pour une année Serpent/Bois sera la saison du printemps, période d'accroissement et de prospérité. La beauté et l'harmonie seront vos compagnes tout au long de cette année. Le Serpent/Bois sera au mieux de sa forme physique et mentale, jouant de sa souplesse et de son intuition.

Exemple historique d'une année Serpent/Bois

1593

Depuis l'assassinat d'Henri III, en 1589, par le moine ligueur Jacques Clément, le royaume de France est déchiré par une guerre civile et religieuse qui paraît sans issue. Successeur légitime du dernier Valois, Henri de Navarre est également le chef du parti huguenot. Refusant catégoriquement de reconnaître un monarque protestant, la plupart des catholiques français préféreraient offrir le trône à la Maison de Guise, ou même à une Infante espagnole. Pendant quatre ans, les chefs de la Ligue mènent contre « l'hérétique » Henri IV une guerre cruelle et acharnée. Malgré son infériorité numérique, le roi parvient à repousser ses adversaires, en exploitant leurs divisions. Puis il met le siège devant Paris. Mais la capitale dispose de défenseurs résolus et de moyens puissants. Des phalanges de prêtres fantastiques sont prêts à mourir pour exterminer « *l'impie* ». Henri comprend peu à peu que seule son abjuration – sa conversion au catholicisme – permettra la reddition de la ville, et une pacification durable du pays. A sa maîtresse Gabrielle d'Estrées, il écrit qu'il est prêt à faire « *le saut périlleux* ».

Pour se justifier, Henri dira : « *je me trouvais au bord du précipice. J'avais contre moi mes propres catholiques et ceux de la foi réformée étaient prêts à m'abandonner. Je n'avais pas d'autre issue. Et peut-être après tout, la rivalité entre les deux religions n'est-elle due qu'à l'animosité réciproque de ceux qui les prêchent. Je tenterai quelque jour de l'apaiser, de ma propre autorité.* »

Le 23 juillet, le roi est accueilli dans l'église de Bourges, par l'archevêque. A la question : « *Que demandez-vous ?* », il répond d'une voix forte : « *Je demande à être reçu au giron de l'Église catholique, apostolique et romaine.* » Puis il jure « *de vivre et de mourir dans la religion catholique, de la protéger et défendre envers et contre tous, au péril de son sang et de sa vie, renonçant à toutes hérésies contraires à icelle.·*»

Six jours après cette abjuration publique, une trêve générale est signée avec les défenseurs de Paris. La conversion du roi entraîne la désintégration de la Ligue. Le règne du « bon roi Henri » peut vraiment commencer : Paris valait bien une messe.

LE SERPENT/FEU
(vous êtes né en 1917 et 1977)

Au Sud, dans le ciel, naquit la chaleur, elle descendit sur terre et la féconda. De leur union naquit le Feu.

La tendance Serpent/Feu

L'élément Feu est du midi, du sud, de l'été, le feu est Yang. C'est l'élément qui chauffe, brûle, transforme, bouleverse.

Le Feu animant le Serpent alimentera perpétuellement son énergie, la renouvelant sans cesse, mais il pourra être dangereux et destructeur, il pourra être Feu qui ronge et qui dévore ; il faudra que le Serpent/Feu apprenne à le maîtriser. Il ne doit le laisser ni s'éteindre, ni s'emballer, car alors il consumerait tout sur son passage.

La santé Serpent/Feu

L'organe Feu est le cœur, son goût est l'amer. Feu de l'été et du Sud. Ne vous laissez pas emporter par la colère, dominez votre agressivité, tous ces débordements sont synonymes de perte d'énergie.

Trop de surmenage mène à la crise cardiaque, ralentissez votre rythme. Faites régulièrement un check-up.

Le Serpent/Feu et les autres

Feu guerrier, mais Feu lucide et clairvoyant. Feu passionné et violent, préférant les grandes manœuvres à la diplomatie. Le Serpent/Feu pourra être homme d'action, de guerre, aventurier, artiste marginal, ou ardent militant. Ce sera souvent un individualiste convaincu et convaincant.

Hélas la tolérance ne sera pas son fort, et il lui faudra quelquefois savoir jeter de l'eau sur son feu — s'il ne veut pas finir par monter sur le bûcher qu'il aura allumé...

Des conseils pour un Serpent/Feu

Assumez-vous, mais modérez votre flamme, vous mettez trop facilement le feu aux poudres, et vous attisez des discordes qui peuvent se retourner contre vous.

UNE ANNÉE SERPENT/FEU

Le point culminant pour une année Serpent/Feu sera la saison d'été, période de création. Votre tendance Yang tendra vers le « grand Yang » ce qui vous apportera un dynamisme à toute épreuve.

Exemple historique d'une année Serpent/Feu

1617

Depuis que Ravaillac a plongé son couteau dans le cœur d'Henri IV, en 1610, la reine Marie de Médicis gouverne la France, au nom du jeune Louis XIII. Pendant près de sept ans, la Régente confie la direction des affaires à un gentilhomme italien, Concino Concini. Cet aventurier arriviste et avide est le mari d'une sœur de lait de la reine – Léonora Galigaï. Comblé d'or et d'honneurs, le favori est nommé Maréchal d'Ancre.

En 1617, Louis XIII a seize ans. Il est donc majeur – selon les lois de la monarchie. Mais Concini a tous les pouvoirs, et il est activement soutenu par la reine mère. Le jeune souverain n'a qu'un fantôme de couronne. Louis prépare alors un véritable coup d'état visant à éliminer l'encombrant personnage. L'opération est prévue pour le 24 avril.

Ce matin-là, Vitry, le capitaine des gardes, se poste avec un groupe de gentilshommes à l'entrée du Louvre.

Vers dix heures, on vint le prévenir que Concini quittait sa demeure et se dirigeait vers le palais. Aussitôt Vitry, avec son manteau sur l'épaule et son bâton de commandement en main, se dirigea tout droit vers la porte, en même temps que ses aides. Le maréchal, venant de son logis, parcourait à pied la rue d'Autriche, tout en lisant une lettre que venait de lui bailler un nobliau normand. Quand il fut sur le pont, la grande porte de Bourbon fut fermée. Vitry y arrivait à son tour et saisit le bras du Florentin en lui déclarant : *« De par le roi, je vous arrête ! »* Concini, surpris et irrité, recula vers le parapet du pont, mit la main à son épée et répondit : *« A moi ! »*, ce qui pouvait signifier qu'il appelait ses suivants à la rescousse. Vitry se retourna à demi pour appeler ses compagnons à l'aide. Alors, presque simultanément, du groupe de ces derniers cinq décharges de pistolet partirent. *« Deux balles se perdirent, une frappa Concini entre les deux yeux, une seconde à la gorge et la dernière dans l'œil. »* (Louis XIII, Pierre Chevallier, Fayard.)

Peu après, le roi parait à une fenêtre du Louvre : la foule l'accueille par une furieuse explosion de joie. *« Merci ! »* s'écrie-t-il. *Grand merci à vous ! A cette heure, je suis roi !... »*

Marie de Médicis sera bientôt contrainte de s'exiler. Quant à Léonora Galigaï, la femme du favori, elle sera accusée de sorcellerie et exécutée.

LE SERPENT/TERRE
(Vous êtes né en 1905 et 1965)

Le zénith humide s'écoula lentement du Ciel, afin d'engendrer la Terre.

La tendance Serpent/Terre

Terre de l'après-midi, terre humide et chaude de l'été. Terre symbole du nid douillet, du confort et de l'abondance. Terre des transformations lentes et profondes. Terre bénie pour le Serpent, invitant au repos, à la méditation, à la rêverie, terre des réflexions, terre en qui tout germe, mûrit, se fortifie et meurt. Refuge, repaire et antre solitaire, abritant les féeries et les monstres... Le Serpent s'y sentira en sécurité, loin des épreuves et agressions du monde extérieur. Il aura tendance à se replier sur lui-même, à se lover sous cette terre qui invite au lâcher prise, voire au laisser-faire. Cet élément sera protecteur, mais lénifiant, incitant le Serpent à l'oisiveté, à la passivité. Le reptile ne peut vivre continuellement en sous-sol : il lui faut du soleil, de l'air et de l'humidité, une hibernation prolongée le transformerait... en marmotte.

La santé Serpent/Terre

L'organe Terre est la rate, son goût est le doux. Le Serpent/Terre ne devra pas rester inactif, il lui faudra faire des sorties en surface, à l'air libre. Une certaine agressivité est nécessaire, elle maintient votre tonus... et votre charme.

Le Serpent/Terre et les autres

Sera un être prudent et circonspect, ne s'engageant pas à la légère, pesant le pour et le contre, étudiant soigneusement le terrain. Méfiant et soupçonneux de nature, il fera un excellent spéculateur, un gérant avisé, amassant ses biens lentement, sûrement, méticuleusement – par des procédés d'une légalité parfois discutable – et s'empressant de les enfouir au plus profond de son coffre. Il possède le sens des responsabilités, et remplit à merveille son rôle de chef de famille, quoiqu'un peu despotique à ses heures.

Des conseils pour un Serpent/Terre

Vous êtes souvent trop casanier – sortez, communiquez, vivez avec votre temps – ne vous enfermez pas dans vos rêves, votre passé – rompez un peu avec votre anxiété et surtout avec vos habitudes. Les vieux garçons (ou filles) pantouflards n'attirent guère... Si vous ne pouvez surmonter votre méfiance dans le domaine des affaires, au moins faites un effort d'ouverture sur le plan humain, notamment au niveau affectif. Vous aurez du succès car vous respirez la sécurité tout en étant créatif.

UNE ANNÉE SERPENT/TERRE

Le point culminant pour un Serpent/Terre sera l'été. Été favorable au Serpent, libre de toutes contraintes matérielles, découvrez la joie de créer, la recherche, l'étude, mais ne

vous enfermez pas, sortez de votre trou, de dessous la pierre, faites une cure de soleil... pas de sommeil. Soyez plus sûr de vous : allez davantage vers le monde.

Exemple historique d'une année Serpent / Terre

1905

Soumise à l'absolutisme du régime tsariste – « autocratie tempérée par l'assassinat » – la Sainte Russie est au bord de la guerre civile. Au début de 1905, des grèves éclatent à Saint-Pétersbourg, la capitale. « Le fait nouveau, écrit Milioukov, est l'apparition dans l'arène politique des masses populaires. » Fin janvier, des dizaines de milliers d'ouvriers, conduits par le pope Gapone, se rendent devant le Palais d'Hiver pour remettre une pétition au tsar. « Aux revendications purement corporatives (suppression des amendes, amélioration des conditions de travail) les ouvriers avaient ajouté des revendications politiques (droit de grève, égalité devant la loi, amnistie, etc.) sous l'influence socialiste. Portant des icones et des portraits de l'empereur, la foule est reçue à coups de fusil. Il y a plus de mille morts et des milliers de blessés. Ainsi, la confiance populaire dans le tsar sort ébranlée de ce dimanche rouge. Les grèves s'étendent dans tout le pays, preuve certaine du rôle nouveau de la classe ouvrière.

« La révolte du cuirassé *Potemkine*, en juillet 1905, accroit encore le danger de développement de la révolution pour le tsar. Lénine, à l'annonce de ces nouvelles, pense qu'il est possible de créer à Odessa un gouvernement révolutionnaire avec l'aide des marins insurgés, mais le *Potemkine* doit se réfugier en Roumanie et l'insurrection est vaincue à Odessa. » (*Histoire de l'URSS*, Jean Ellenstein, Éditions Sociales.)

1905 est la répétition générale de la vraie révolution qui éclatera douze ans plus tard, entraînant la chute du tsar Nicolas II et le triomphe du bolchévisme.

LE SERPENT/MÉTAL
(vous êtes né en 1929)

Venant d'ouest, dans le ciel, la sécheresse effleura la peau de la terre et engendra le Métal. Vents venus des steppes lointaines à la recherche de la sève vitale.

La tendance Serpent/Métal

Le Métal est du soir, de l'automne et du froid. Il symbolise la clarté, la pureté et la fermeté. Il sera celui qui tranche, qui coupe, son tempérament sera rigide, chaste, ses propos acérés. Il oscillera entre beauté et destruction. Par ailleurs il aura le sens des réalisations. Pour les moissons, il sera le fer qui glane. Hélas trop de rigueur engendre tristesse et morosité. Le Serpent/Métal sera protégé par son élément, véritable armure l'abritant du danger extérieur, mais non du danger intérieur, car cette carapace de Métal ne laissera pas filtrer les sons et les parfums, les sentiments et les ondes qui sont vitales pour l'homme. Le Métal refroidira le Serpent à sang chaud, il aura tendance à le durcir, à le rendre rigide. L'ophidien y perdra en souplesse, et en intuition. Imaginez un serpent complètement raide : il se briserait... Par ailleurs il sera attiré par un idéal inaccessible et pur, qui ne fera que l'enfermer un peu plus dans sa rigidité dogmatique. Percez un trou dans votre belle armure, laissez-y entrer un peu d'oxygène et de rêve, vous en aurez besoin.

La santé Serpent/Métal

L'organe Métal est le poumon, son goût est l'âcre. Oxygénez-vous, recherchez le grand air, pratiquez la voile ou l'alpinisme, évitez la spéléologie ou la plongée sous-marine... psychologiquement tout au moins.

Le Serpent/Métal et les autres

Le Serpent/Métal sera un homme énergique, un militaire, un haut fonctionnaire, un juge, un confesseur,

bref tous les métiers où l'on ne plaisante pas. Toutefois le Serpent/Métal sera toujours juste et droit, scrupuleux et honnête, il sera parfois fanatique, toujours pur. Amoureux du travail bien fait, recherchant la perfection dans l'exécution, dur envers lui-même, il sera impitoyable avec les autres, particulièrement avec les êtres qu'il aime, donc qu'il estime. Restant lucide vis-à-vis de lui-même, et souffrant peut-être de sa propre dureté, il est bien trop orgueilleux pour reconnaître sa faille, et continuera inlassablement son chemin, par crainte de se laisser tourner un peu la tête.

Des conseils pour un Serpent/Métal

Vous vous prenez trop au sérieux, soyez moins grave, moins implacable. Acceptez de sourire, de plaisanter, vous manquez parfois d'humour, c'est pourtant le meilleur remède contre les drames et la fatalité.

UNE ANNÉE SERPENT/MÉTAL

Le point culminant pour une année Serpent/Métal sera la saison d'automne. La tendance Yin de la mi-saison s'alliera au Yang du Serpent, lui apportant tempérance et équilibre.

Profitez de cette alternance du Yin et du Yang pour redécouvrir votre souplesse ancestrale, sortez de votre armure, détendez-vous, au moral comme au physique, vous aurez tout à y gagner. Pour gouverner, la rigidité n'est pas indispensable : persuadez-vous que détente et souplesse ne signifient pas faiblesse.

Exemple historique d'une année Serpent / Métal

1809

Cette année marque l'apogée du règne napoléonien, et sa dernière grande campagne victorieuse. Profitant de l'expédition d'Espagne, où on croyait l'Empereur dangereusement aventuré, l'Autriche a secrètement préparé une guerre à outrance. Écrasés au cours de trois guerres successives, dont la dernière s'est terminée, quatre ans plus tôt, par Austerlitz, les Habsbourgs ont une revanche à prendre, et beaucoup d'humiliations à effacer.

Au printemps 1809, Napoléon semble particulièrement vulnérable. La Grande Armée est éparpillée à travers toute l'Europe, et il a laissé ses meilleures troupes au fin fond de la péninsule ibérique, pour défendre le trône précaire de son frère Joseph. D'autre part, les Anglais ont promis de faire diversion en débarquant des habits rouges sur les côtes françaises.

En avril, l'Archiduc Charles se jette sur la Bavière. « Je pars, dit-il, avec mes conscrits, mes bottes et mon petit chapeau. Les rois se sont donnés rendez-vous sur ma tombe, mais ils n'osent encore s'y rendre... » La Prusse s'agite, guettant le premier revers pour se joindre à la coalition. Les Russes, malgré l'alliance, menacent la Pologne. Le Tyrol est en pleine insurrection. En Italie, les Autrichiens infligent de graves échecs aux troupes du viceroi, Eugène de Beauharnais. Pour l'Empereur, la situation est des plus critiques, d'autant qu'il n'a sous la main que de jeunes recrues sans expérience, et des soldats de la Confédération du Rhin.

Il réussit néanmoins à compenser cette infériorité par des manœuvres d'une rapidité fabuleuse. En quatre jours — du 20 au 23 avril — Napoléon disperse ou capture l'armée de l'Archiduc qui doit battre précipitamment en retraite, et se voit même contraint d'abandonner Vienne, où les Français font leur entrée le 11 mai. Mais les Habsbourgs ont des réserves. L'Archiduc prend la tête d'une deuxième armée, que l'Empereur attaque le 21 mai, à Essling. La rupture des ponts qui assurent le passage de ses troupes sur le Danube oblige Napoléon à rompre le combat — après avoir d'ailleurs frôlé le désastre.

Le 6 juillet, une nouvelle opération aboutit à la bataille de Wagram : cette fois, la victoire est indiscutable. La mort dans l'âme, l'Empereur François signe un armistice. Cette guerre lui aura coûté le quart de ses états — et ruiné ses finances. En octobre, espérant fléchir le vainqueur, et alléger ses conditions, l'Empereur d'Autriche lui donnera sa fille Marie-Louise en mariage. Et cette Archiduchesse de 18 ans réussira où avaient échoué les meilleurs généraux et les plus fins diplomates. Elle endormira peu à peu les exigences et la méfiance de son époux — ce qui permettra plus tard à l'Autriche de lui porter le coup fatal.

TABLEAU ANALOGIQUE DES DIFFÉRENTS ÉLÉMENTS

Éléments	Bois	Feu
Années se terminant par	3 et 8	2 et 7
Couleurs	Vert	Rouge
Saisons	Printemps	Été
Climats	Vent	Chaleur
Saveurs	Acide	Amer
Organe principal	Foie	Cœur
Organe secondaire	Vésicule	Intestin grêle
Aliments	Blé, volailles	Riz, mouton

TABLEAU DE L'ENTENTE ENTRE LES ÉLÉMENTS

		Femme Bois
OOO excellent prospérité	**Homme Bois**	● ●
OO bonne harmonisation compréhension	**Homme Feu**	O
O nécessitant des efforts	**Homme Terre**	● ●
● rivalités et problèmes de domination réciproque	**Homme Métal**	O
●● mésentente et incompréhension	**Homme Eau**	O O

Terre	Métal	Eau
0 et 5	4 et 9	1 et 6
Jaune	Blanc	Bleu
Fin d'été	Automne	Hiver
Humide	Sec	Froid
Doux	Piquant	Salé
Rate	Poumons	Reins
Estomac	Gros intestin	Vessie
Maïs, bœuf	Avoine, Cheval	Pois, porc

Femme Feu	Femme Terre	Femme Métal	Femme Eau
O	O O O	O	O O
O	O O	●	● ●
O O	O O	O O O	●
● ●	●	● ●	O O O
● ●	●	O O O	O

LE SERPENT DES QUATRE SAISONS

念眾生有老病死苦惱大

門，法服持鉢行步安詳目

Si vous êtes né au printemps

SERPENT/BÉLIER

Voici une personnalité très contradictoire, car même avec le plus moderne des mixers, on ne saurait mélanger le côté « partisan du moindre effort » du Serpent avec l'amour de l'action pour l'action spécifique du Bélier. Le natif marqué par cette combinaison risque d'avoir un comportement surprenant et des réveils brutaux. Il ne faut pas lui marcher sur les écailles. Il tient en effet jalousement à son indépendance. Il vit à son rythme (c'est un euphémisme...) mais se montre charmant si on lui laisse, matériellement et affectivement, la « bride sur le cou ». Dans ce cas, il revient toujours à la maison. Mais si on l'embête, il s'en va. Autant le savoir à l'avance...

Le Serpent/Bélier pense souvent plus vite qu'il n'agit mais il est très créatif. Il peut devenir un artiste de talent, mais matériellement il a un peu tendance à attendre que la chance arrive et que son escarcelle se remplisse toute seule, par l'opération du Saint-Esprit. Il n'est pas très persévérant et change de voie lorsqu'il a l'impression que c'est une voie de garage. De tous les Serpents, c'est peut-être le moins porté sur la difficulté, le plus sainement et aimablement égoïste... Et le plus franc.

SERPENT/TAUREAU

Charmant et pantouflard, ce Serpent-là adore se chauffer au soleil. Sa digestion est lente. Il n'est pas spécialement actif et n'aime guère qu'on le secoue, n'ayant pas son pareil pour répondre, en bâillant « y a pas le feu »... Il a toujours le temps. On le croit béat, indifférent... Attention ! le Serpent/Taureau est réaliste et très lucide quant à son besoin de confort. S'il s'agit de préserver ou d'améliorer celui-ci, il s'étire, se dresse, et son avance est aussi naturelle, imparable, que celle de la marée montante.

Le cuir du Serpent/Taureau est solide, sa personnalité résistante, mais il est matérialiste, possessif, et peut perdre le sommeil à l'idée que ses actions baissent. Une dévaluation monétaire, et le voilà qui frôle la dépression...

Dans l'intimité, c'est un être agréable et affectueux, plutôt fidèle pour un Serpent... Et épouvantablement jaloux, jaloux à faire verdir Othello. Le coup d'œil le plus innocent, le plus bénin, jeté par son conjoint vers autrui le rend malade. Attention : il mettra peut-être dix ans à réagir, mais dans ce cas il prendra « la grosse colère » et rien ne pourra l'arrêter. Il chargera comme un éléphant furieux. Si vous voulez tromper un Serpent/Taureau, cachez-vous avec soin, ou achetez une armure.

SERPENT/GÉMEAUX

Serpent-minute ! il est plutôt remuant pour un Serpent, mais sa morsure n'est pas mortelle. Il n'est pas méchant, et lorsqu'il chagrine quelqu'un, c'est toujours pour des raisons affectives : en effet, on ne peut le tenir. Il est volage, indiscipliné, tellement sinueux qu'il est délicat de savoir où il commence et où il finit. C'est le cas de dire qu'il glisse entre les doigts...

Le Serpent/Gémeaux est difficile à vivre sur le plan affectif mais sa compagnie est très enrichissante. Il est intelligent, intuitif, brillant, manie les idées comme un prestidigitateur joue avec ses accessoires. Il est capable de vendre des réfrigérateurs aux esquimos et des manteaux de fourrure aux habitants de la Terre de Feu. Rien n'est impossible pour lui : il aime tant convaincre, persuader, séduire... C'est, bien sûr, pour cela qu'il fascine et entortille les petits chaperons rouges égarés.

Inutile de préciser que le Serpent/Gémeaux n'a qu'à choisir : toutes les voies lui sont ouvertes, en particulier celles qui nécessitent habileté, diplomatie, éloquence... Toutes, sauf le travail dans une mine de charbon et la profession de docker, car physiquement, c'est une petite nature.

Si vous êtes né en été

SERPENT/CANCER

Ce Serpent est sensible, susceptible et quelque peu égocentrique : il se prend facilement pour le centre du monde et peut rester longtemps à somnoler, enroulé sur lui-même. A vrai dire il n'y a pas plus paresseux qu'un Serpent/Cancer. Il ressent un plaisir profond à ne rien faire, et il s'étire nonchalamment, savourant son bien-être et contemplant le temps qui passe. Ne le brusquez pas ! il devient méchant si on le dérange, ou se referme comme une huître, sur vos doigts, bien sûr. Il a en revanche beaucoup d'imagination, une intuition remarquable, et il est compréhensif. Le Serpent/Cancer agit par crises — dans ce cas il est fort efficace, car tenace, opportuniste, il mûrit ses projets très longtemps à l'avance. Ensuite, il se rendort. Il n'est guère fait pour le labeur solitaire et contraignant, mais en fin de compte, il abat pas mal de besogne sans avoir l'air de se donner du mal. Cela crée parfois des jalousies autour de lui.

Très attaché à sa famille, le Serpent/Cancer est un intimiste qui s'épanouit volontiers au coin du feu, entouré de ceux qu'il aime, en écoutant avec la sérénité qui le caractérise la tempête qui fait rage au dehors. Ne vous faites pas de soucis pour son avenir : il ne manquera jamais de rien. S'il n'est pas motivé pour agir, il se fera entretenir avec joie !

SERPENT/LION

C'est un bel alliage, car l'énergie conquérante du Lion a une influence dynamisante sur le côté contemplatif du Serpent ; d'autre part, l'intelligence et la lucidité de ce dernier diminuent les défauts du Lion (autorité, tendance à se prendre au sérieux, etc.). Le Serpent/Lion est de bon conseil. Il réfléchit avant d'agir mais ne se laisse pas décourager par les obstacles. Il a beaucoup de volonté et de courage, il est équilibré et adaptable.

Attention : on peut le croire discret et modeste, car il n'extériorise pas son besoin de puissance. Mais il n'en a pas moins besoin d'être au premier plan, et adore qu'on l'écoute avec de grands yeux admiratifs. C'est son point faible... Ça le rassure, car il n'est pas très sûr de lui, au fond. Il aime qu'on l'aime.

Ambitieux, le Serpent/Lion déteste se priver, et en général il gagne assez d'argent pour satisfaire ses désirs. Il se sent bien dans le luxe, et il est capable de le créer. La chance est souvent avec lui, car les journées d'Août sont chaudes, et il est bon pour le Serpent de naître par beau temps.

SERPENT/VIERGE

Ces deux signes brillent par leur sens de l'organisation. C'est dire que le Serpent/Vierge sait très bien où il va, et il ne va pas n'importe où. Il est tellement sage que cela peut en devenir agaçant, car il a presque toujours raison. Heureusement, il a du charme, comme tous les Serpents. Il est sécurisant, car fidèle à son mode de vie, à ses entreprises et ses engagements.

Le Serpent/Vierge est souvent un cérébral. Il réfléchit beaucoup, fait preuve de lucidité et n'a pas son pareil pour éviter les pièges. C'est à se demander s'il fait des bêtises... Sûrement. Qui n'en fait pas ? Mais lui, il s'arrange pour que cela ne se voie pas. Il ne montre de lui que ce qu'il veut bien. Toujours élégant, tiré à quatre épingles, il ne dit jamais de gros mots en public. Il vous fera toujours honneur : ce n'est pas un gaffeur. Mais il est, au fond, nerveux, anxieux. L'équilibre sexuel a pour lui une grande importance. Déçu ou trompé, il devient hargneux, vindicatif, répétitif, et fait preuve d'un sens critique aussi virulent qu'il semblait tolérant au départ.

Serpent/Lion : énergique et lucide

Si vous êtes né en automne

SERPENT/BALANCE

Si vous avez déjà rencontré un Serpent/Balance et su résister à son charme, prévenez-moi. Vous méritez une médaille, et d'ailleurs je suppose que vous êtes conscient de votre exploit. En effet ce Serpent-là est irrésistiblement séduisant, il adore plaire et possède plus d'une corde à son arc — de Cupidon, bien sûr. La tactique du peloton de cavalerie n'est pas son fort ; d'ailleurs, il la méprise. Lui, il séduit en souplesse, sans avoir l'air d'y toucher. Devant lui, on reste fasciné...

Infiniment sensible à l'harmonie, raffiné, esthète, le Serpent/Balance n'est pas combatif, et il a besoin parfois d'être un peu secoué, sinon il s'enlise dans une délicate rêverie. Il est incertain, hésitant, un peu velléitaire. C'est en faisant appel à son sens de la justice, à son amour de la paix — au sens le plus noble du terme — qu'on le motive le mieux. Apôtre de la non-violence, il sera capable d'une activité inlassable s'il s'agit de préserver « une certaine qualité de vie ». Attention : le Serpent/Balance ne badine pas avec l'honneur.

SERPENT/SCORPION

La conjugaison de ces deux animaux venimeux semble redoutable, et l'on peut hésiter avant d'y mettre la main. Heureusement, le Serpent/Scorpion est d'une agressivité modérée, et retourne surtout celle-ci contre lui-même. Il ne mord ou ne pique que si l'on fait preuve à son égard de méchanceté gratuite, et se montre somme toute plutôt tolérant, car son extrême perspicacité lui permet de comprendre les motivations d'autrui. C'est un fin psychologue, qui passerait volontiers ses soirées à décortiquer son entourage, à philosopher ou à faire de l'introspection.

Tourmenté et anxieux, sous un abord paisible, il change souvent de peau ; sa vie est rythmée par des mues successives, assorties de crises existentielles profondes. Le Serpent/Scorpion est pourvu d'une grande force intérieure et il se débrouille pour toujours parvenir à ses fins.

Serpent/Scorpion : il parvient toujours à ses fins

Discrètement. Il est un peu cachottier ! Rancunier comme un éléphant et possessif comme un boa, il aime être traité avec respect. Plutôt que d'attirer sa vindicte, essayez le dialogue : c'est la meilleure méthode, avec lui. Si on le met devant le fait accompli, si on blesse son amour-propre, il se transforme en distillerie de venin-longue durée, et se renferme dans ses anneaux. Lorsque vous le croiserez, dix ans après, ne vous étonnez pas s'il vous mord...

SERPENT/SAGITTAIRE

Serpent dynamique. Sans avoir envie de remporter la médaille olympique de course à pied... Il rampe assez vite et atteint son but. La perspicacité, l'intuition du Serpent, son sens de l'organisation empêchent la personnalité-Sagittaire de se lancer dans des entreprises trop lointaines et de fréquenter n'importe qui. Indépendant, le Serpent/Sagittaire a aussi le bon goût de laisser à son entourage une relative liberté. Mais attention : il est un peu à cheval sur les principes et n'accepte pas que l'on jongle avec la morale : il est honnête.

Il est aussi assez autoritaire et un peu envahissant, toujours prêt à vous abreuver de conseils pour ensuite vous agonir d'injures et vous écraser de son mépris si vous avez le mauvais goût de ne pas le suivre... Le Serpent/Sagittaire déteste la contradiction et si on le prend « de front », il se bute.

Réaliste, le Serpent/Sagittaire résiste mal aux doux tintements des pièces d'or. Il a un côté « chercheur de trésors » et une chance insolente. Lorsqu'il part à la découverte d'un quelconque Eldorado, vous pouvez le suivre en toute sécurité : il ne vous fera pas coucher sous les ponts. Si vous lui demandez, ensuite, de partager son trésor, c'est plus aléatoire, car sa générosité est relative : il adore faire des cadeaux mais tient à ses sous.

Serpent/Sagittaire : dynamique

Si vous êtes né en hiver

SERPENT/CAPRICORNE

C'est un animal à sang froid, qui sous des dehors paisibles maîtrise ses émotions et considère le monde avec une lucidité impressionnante. Son regard a l'acuité d'un laser : il met parfois du temps à décider d'une voie, mais quand il s'y engage, soyez sûr que c'est la bonne : un Serpent/Capricorne n'a pas le temps de se tromper. Toute sa vie lui sera à peine suffisante pour obtenir ce qu'il désire. Fait pour les sommets, persévérant, obstiné, il ne semble pas connaître le sens du mot découragement. C'est sans doute le plus résistant des serpents, mais il ne rigole pas... Encore une fois, il a autre chose à faire.

Si un Serpent/Capricorne a décidé en son for intérieur de vous séduire, inutile de prendre un billet d'avion pour Pétaouchnok ou de vous enfermer à clé chez vous, sinon aux seules fins de lui rendre la conquête plus exaltante : en effet, il ne recule pas devant la difficulté. Mais il ne se lassera pas le premier, et utilisera tous les moyens, depuis le détournement d'avion jusqu'à se transformer en rat d'hôtel, pour vous rattraper. On ne résiste pas à un Serpent/Capricorne. D'ailleurs, s'il n'est pas facile à vivre, car exigeant et individualiste, il présente d'autres qualités : il a un sens des affaires remarquable et ne change pas d'avis toutes les dix secondes. C'est assez sécurisant... En outre, il est doté d'un « humour à froid » d'une qualité rare... Un grand cru de Serpent, vraiment.

SERPENT/VERSEAU

Serpent à plumes. Il vit un peu dans les nuages, voire dans l'utopie. C'est peut-être le moins matérialiste des Serpents, et le pain quotidien n'est pas sa préoccupation dominante. En revanche, il est remarquablement intuitif, humain, disponible ; il a « des antennes », et réagit avec une émotion profonde aux moindres sollicitations du monde extérieur.

Ce Serpent a l'étoffe d'un savant, d'un précurseur de génie, et il peut faire fortune dans l'occultisme ou dans les domaines relevant de l'investigation de l'esprit humain. Mais les détails quotidiens l'ennuient, et si vous l'embêtez en lui parlant de fin de mois, d'impôts sur le revenu et autres choses sans intérêt, il remontera dans sa soucoupe volante. Il faut le ménager, le laisser donner libre cours à son esprit original et créatif, mais l'aider à se canaliser, car il est un peu velléitaire.

Le Serpent/Verseau a souvent des problèmes sentimentaux car il concilie difficilement son indépendance totale avec les exigences affectives d'autrui. Bien que sensuel comme tous les Serpents, il est toujours un peu ailleurs et peut se montrer tantôt bêtement jaloux, tantôt d'une indifférence vexante. Heureusement, il est si compréhensif qu'avec lui on peut toujours trouver un terrain d'entente, à condition de ne pas chercher à le coincer.

SERPENT/POISSONS

Voilà un mélange bien sinueux, et à force de tourner en rond, de nager entre deux eaux, le Serpent/Poissons risque de finir par se mordre la queue et par vivre dans le cercle vicieux de son imagination. Il a du mal à savoir vraiment ce qu'il veut, et la multiplicité de ses dons ne lui rend pas les choix faciles. Même si cela semble dommage, il a besoin d'être un peu « mis sur des rails ». Il n'y battra jamais de record de vitesse et se perdra parfois dans la campagne... Mais parviendra toujours à faire quelque chose d'intéressant. Le Serpent/Poissons est pourvu d'une grande réceptivité et d'une remarquable finesse de perception. Souple, adaptable et opportuniste, il s'organise à merveille, sans avoir l'air d'y toucher, et se retrouve très bien dans son fouillis. Contrarié, le Serpent/Poissons devient maussade, passif et empoisonne l'atmosphère. Heureusement, il n'est pas trop susceptible, ou alors il n'écoute pas...

Affectivement, il court le risque de sombrer dans le mélo et se délecte des crimes passionnels. Il vit de grandes passions toujours compliquées, se pose une infinité de questions et se fait du cinéma. Dans ses vies précédentes, il a déjà vécu « Autant en emporte le vent ».

Au moins, il est distrayant. On ne s'ennuie pas avec lui. D'ailleurs, il faut bien toute une vie pour obtenir de lui une réponse précise − à la moindre question...

5ᵉ partie :

LE JEU ASTROLOGIQUE DU YI-KING

動爲靜之理、如人之氣吸則靜噓則動。又問答之際、答則動也

事皆然且如涵養致知亦何所始、但學者須自截從一處做去。

LE YI KING ET LE SERPENT

Le Yi King est un jeu divinatoire. Vous posez votre question, vous obtenez une réponse. Mais en posant votre question, vous la posez avec votre identité SERPENT. Les rouages, le mécanisme complexe de votre esprit viennent de se mettre en route. Vous posez une question SERPENT, le Yi King répond une « solution » SERPENT sur laquelle vous pourrez méditer en SERPENT avant d'y porter une conclusion SERPENT.

Pour vous, Maître SERPENT, voici les 64 hexagrammes du Yi King, 64 hypothèses... SERPENT.

L'opérateur se trouvera devant un hexagramme qui est « l'hypothèse-réponse » à sa question, ou plus justement la synthétisation des forces qui se meuvent pour l'affaire ou l'événement attendu.

Comment procéder :

1. *La question.*

Posez une question, au sujet de n'importe quel problème, passé, présent ou à venir, vous concernant personnellement. (Pour quelqu'un de votre entourage, consultez le jeu du Yi-King correspondant à son signe chinois, dans l'ouvrage consacré à son signe.)

2. *Le tirage.*

Il doit s'effectuer dans la concentration.
Prenez **trois pièces de monnaie** ordinaires et semblables — par exemple trois pièces de vingt-cinq cents.

Avant de commencer adoptez la convention suivante :

Face = *le chiffre 3*

Pile = *le chiffre 2*

Jetez les pièces.

Si le résultat est : deux pièces côté Face et, une côté Pile, vous inscrivez 3 + 3 + 2. Vous obtenez donc un total de 8, que vous représentez par un trait plein ━━━━

Même figure si vous avez trois côtés Face (3 + 3 + 3 = 9)

Si vous obtenez deux côtés Pile et un côté Face (2 + 2 + 3 = 7) ou trois côtés Pile (2 + 2 + 2 = 6), vous dessinez deux traits séparés ━━ ━━

En résumé, 8 et 9 correspondent à ━━━━ (Yang)

6 et 7 correspondent à ━━ ━━ (Yin)

Répétez cette opération *six fois,* en notant lors de chaque jet la figure obtenue, que vous dessinerez, sur un papier, en procédant, de la première à la sixième figure, de bas en haut.

Le résultat final, comprenant un trigramme du bas, ou trigramme inférieur (exemple : ≣), et un trigramme du haut, ou trigramme supérieur (exemple : ≣) sera

un hexagramme du Yi King, dans notre exemple :

Vous n'aurez plus qu'à rechercher son numéro dans la table *(page 104),* puis à consulter la liste des hexagrammes pour trouver la réponse attendue. Dans notre exemple, l'hexagramme obtenu est le 63.

TABLE DES HEXAGRAMMES

Trigrammes	supérieurs		
	☰	☷	☶
Inférieurs			
☰	1	11	34
☷	12	2	16
☳	25	24	51
☵	06	7	40
☶	33	15	62
☴	44	46	32
☲	13	36	55
☱	10	19	54

Utilisez cette table pour retrouver les hexagrammes.
Le point de rencontre entre les trigrammes inférieur
et supérieur indique le numéro de l'hexagramme
que vous recherchez.

supérieurs

☷	☶	☴	☵	☳
5	26	9	14	43
8	23	20	35	45
3	27	42	21	17
29	4	59	64	47
39	52	53	56	31
48	18	57	50	28
63	22	37	30	49
60	41	61	38	58

LES HEXAGRAMMES DU SERPENT

K'IEN

1 *Le créateur :* l'énergie, la force, la volonté, utilisées et maîtrisées en temps et heure, favoriseront la création chère au prince des méandres.

K'OUEN

2 *Le réceptif :* après vous être allié au temps, prenez des forces en retournant à la terre-mère. Prenez du recul, observez, faites une retraite... et n'oubliez pas que la nuit porte conseil.

TCHOUEN

3 *La difficulté initiale :* n'accusez pas les circonstances extérieures de vos déboires. Ne vous entêtez plus à semer du blé dans un marécage...

MONG

4 *La folie juvénile :* « ce n'est pas moi qui recherche le jeune fou, c'est le jeune fou qui me recherche. » Vous êtes capable de pensées profondes, de réflexion, ne vous laissez point déborder par votre puissance spéculative, et ne vous prenez pas trop au sérieux.

SU

5 *L'attente :* elle est votre principale alliée, votre supériorité, votre atout majeur ! Plus les choses bougeront autour de vous, plus vous aurez intérêt à rester immobile.

SONG

6 *Le conflit :* ce n'est pas le moment de tourner trente-six fois votre venin dans votre bouche, si vous êtes sûr de votre bon droit. Mais dans le cas contraire, attention ! savoir céder devant un obstacle trop haut est parfois sage.

SZE

7 *L'armée :* bien que vous soyez un individualiste forcené, vous devrez vous plier à la discipline, et feindre la soumission.

PI

8 *La solidarité :* resserrez vos liens avec votre entourage et nouez soigneusement vos anneaux.

SIAO TCH'OU

9 *Le pouvoir d'apprivoisement du petit :* ne méprisez rien, ne sous-estimez rien, ne qualifiez rien de « petit », avant de vous être assuré que vous n'êtes pas myope.

LI

10 *La marche :* « marchez sur la queue du Tigre, il ne mord pas l'homme. » Même si vous verdissez sous vos écailles, ne « sifflez » pas à la vue des rayures, soyez bon prince : un peu plus de prudence, et de générosité.

TAI

11 *La paix :* toute hostilité s'apaise sous son règne bienveillant. Ne restez pas sur votre quant à soi, rapprochez-vous de ceux que vous aimez, soyez toute douceur...

P'I

12 *La stagnation :* est utile avant l'attaque, maîtrisez vos tremblements, rangez crocs et venin, prenez du recul, sans affaiblir votre vigilance.

T'ONG JEN

13 *La communauté avec les hommes :* le grand air et la lumière du jour ont du bon, et pas seulement pour vous prélasser au soleil. Cherchez à communiquer, ouvrez-vous davantage au monde et à autrui, évitez les arrière-pensées.

TA YEOU

14 *Le Grand Avoir :* le Serpent a de la chance, à condition de bien vouloir s'en donner la peine, et de ne pas se contenter de couver le bonheur comme un œuf rare...

K'IEN

15 *L'humilité :* il est évident que le Serpent est symbole d'horizontalité, mais en cas d'agression il se redresse, et passe à la verticale... Maintenez l'équilibre, même dans les épreuves.

YU

16 *L'enthousiasme :* il est vrai que vous attirez, étonnez, déroutez, mais il va falloir donner de vous-même, sans rien attendre en retour.

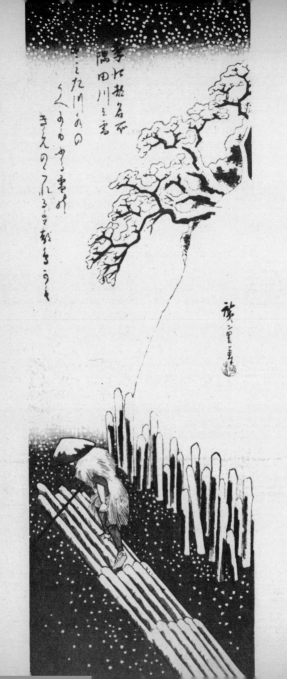

SOUEI

17 *La suite :* vous allez pouvoir récolter les fruits de votre travail, ou de votre séduction ; toutefois, ne vous laissez pas trop aller à l'euphorie.

KOU

18 *Le travail sur ce qui est corrompu.* achetez des lunettes ou des verres de contact, tant pis pour votre coquetterie : vous devez regarder la situation en face...

LIN

19 *L'approche :* devra être prudente et lente, car lorsque le soleil est trop brûlant, l'orage menace. Multipliez les précautions.

KOUAN

20 *La contemplation :* période un peu narcissique : attention à ne pas tourner en rond : n'oubliez pas le monde extérieur et les impératifs quotidiens.

CHE HO

21 *Mordre au travers ou le procès criminel :* allez-y à pleines dents, afin de décourager vos ennemis, et de forcer un peu le destin. Faites la lumière sur le mensonge, vous éliminerez l'obstacle.

PI

22 *La grâce :* ne vous laissez pas attirer dans un piège, ce qui brille ne contient pas forcément la lumière. Si l'on vous fait un cadeau, ne le jetez pas à la poubelle en gardant l'emballage...

PO

23 *L'éclatement :* ne vous engagez pas dans une maison alors que les termites en ont rongé les poutres. Ne vous fiez pas aux apparences.

FOU

24 *Le retour :* ouvrez vos portes et vos persiennes, le soleil s'est levé, la crise est passée, vous pouvez sortir en toute quiétude.

WOU WANG

25 *L'innocence :* le Serpent intuitif pourra se laisser aller tout entier à son intuition, mais il lui faudra rester honnête et bon joueur, au cas où il se serait trompé.

TA TCH'OU

26 *Le pouvoir d'apprivoisement du grand :* puissance et force. Le Serpent change de peau, il se renouvelle, il mue : faites de même, si vous voulez conserver tonus et énergie.

YI

27 *Les commissures des lèvres :* qui dit Serpent, ne dit pas forcément Boa, n'ayez pas les yeux plus gros que le ventre, ni la tête trop remplie, mais seulement *bien* remplie...

TA KOUO

28 *La prépondérance du grand :* sachez vous délester des poids inutiles qui ralentissent votre démarche sinueuse.

KAN

29 *L'insondable, l'eau :* menace extérieure, ne vous dressez pas, ne vous enroulez pas : continuez tranquillement, mais discrètement votre chemin, sans attirer l'attention.

LI

30 *Ce qui s'attache, le feu :* gardez votre calme et ne soyez pas en permanence en état d'alerte, si vous voulez pouvoir être efficace le moment venu... Créez-vous des liens, et si vous êtes seul, communiez avec la nature : elle vous aidera.

HIEN

31 *L'influence :* vous êtes en état de fascination... et vous fascinez, alors ne remettez pas vos projets à demain. Un conseil : ne tournez pas trop longtemps autour des êtres et des choses avant de vous décider.

HONG

32 *La durée :* et si vous vous remettiez un peu en cause de l'intérieur : les mutations internes sont également nécessaires à un bon équilibre.

TCHOUEN

33 *La retraite :* retirez-vous en douceur, comme vous avez l'art de le faire, sans bruit et discrètement, il ne s'agit pas de fuite, mais de sagesse.

TA TCH'OUANG

34 *La puissance du grand :* la force additionnée au mouvement : ne vous laissez pas emporter par le tourbillon, vous perdriez tout contrôle de ce qui vous entoure et de vous-même.

TSIN

35 *Le progrès :* n'hésitez pas à vous mettre en avant, à vous montrer, vous faire connaître, bien que dans ce domaine il soit inutile de vous prier longtemps, mais acceptez la collaboration, le gâteau doit être partagé, ne soyez pas trop gourmand.

MING YI

36 *L'obscurcissement de la lumière :* à l'extérieur, changez vous-même les fusibles, n'attendez pas l'électricien. En vous, habituez-vous à vous déplacer dans le noir, on s'y fait et les ténèbres comme les nuages se dissipent...

KIA JEN

37 *La famille :* même lorsqu'on est Serpent infidèle, la famille a au moins le privilège d'être là : quand vous vous sentez seul, elle est sécurisante et vous feriez bien de faire un effort pour vous y intégrer, pas seulement en période de naufrage.

K'OUEI

38 *L'opposition :* les goûts et les couleurs ne se discutent pas, ils se découvrent, il faut chercher à les comprendre, sans pour cela les adopter ou les rejeter, sans réfléchir.

KIEN

39 *L'obstacle :* si vous n'y voyez plus rien, offrez-vous des lunettes, il est inutile de continuer d'avancer à tâtons, cela pourrait devenir dangereux. Si l'on vous tend la main, ne la refusez pas, il y a peut-être une marche...

HIAI

40 *La libération :* l'orage est passé, remettez de l'ordre, mais sortez de votre coquille...

SOUEN

41 *La diminution :* en cas de difficulté, redécouvrez la simplicité. Confiez-vous, spontanément, naturellement, la vie vous apparaîtra sous un jour plus riant.

YI

42 *L'augmentation :* c'est le moment d'agir, le baromètre est au beau fixe.

KOUAI

43 *La percée :* vous pouvez passer à l'attaque, pour une fois ce sera justifié, votre honnêteté brillera au grand jour, portez la tête haute, dénoncez l'erreur, vous êtes sous les feux de la rampe...

KEOU

44 *Venir à la rencontre :* le Serpent connaît les eaux dormantes... toutefois il devra se méfier, redoubler de prudence, bien que les marais fassent partie de son univers, qu'il ne les choisisse pas comme lieu de rencontre...

TS'OUEI

45 *Le rassemblement :* devra réunir des hommes de toutes catégories et les idées les plus diverses. Cherchez le lien et gardez-vous des parasites.

CHENG

46 *La poussée vers le haut :* vous êtes sûr de vous, vous pouvez partir, mais préparez votre itinéraire, soignez votre voyage, ne négligez rien, attardez-vous aux détails, sans oublier l'heure du départ...

K'OUEN

47 *L'accablement :* vous êtes en perte de vitesse, votre fluide magnétique ne passe plus... faites un retour sur vous-même.

TSING

48 *Le puits :* il est bon de changer, de transformer, de muer, mais renouvellement ne signifie pas destruction.

KO

49 *La révolution :* est parfois nécessaire, construisez des barricades afin de vous préparer à l'affrontement éventuel.

TING

50 *Le chaudron :* symbolise les cinq Éléments : Terre-Bois-Feu-Eau-Métal, nourriture du corps et de l'esprit. Sachez trouver un équilibre entre vos besoins spirituels et les nécessités matérielles.

TCHEN

51 *L'éveilleur, l'ébranlement, le tonnerre :* c'est parfois en prenant une « tuile » sur le crâne que la lumière jaillit, n'en faites pas un drame, mettez une compresse et reprenez votre route, elle sera peut-être mieux éclairée.

KEN

52 *L'immobilisation, la montagne :* la solitude est souvent bonne conseillère, tenez-vous en au présent, faites le calme en vous, et autour de vous.

TSIEN

53 *Le progrès graduel :* accepter de gravir les marches une à une est plus prudent que de bondir quatre à quatre et de risquer une chute.

KOUEI MEI

54 *L'épousée :* un Serpent hypnotiseur ne devra pas succomber à son tour, prudence et réflexion en toutes circonstances.

FONG

55 *L'abondance :* prospérité, plénitude, l'herbe est verte et les cerisiers en fleurs, n'attendez pas que l'herbe jaunisse et que les fleurs se fanent pour profiter de la vie.

LIU

56 *Le voyageur :* les voyages forment la jeunesse, ils apaisent passions et chagrins. Prenez du recul, mais regardez aussi ce qu'il y a derrière vous...

SOUEN

57 *Le doux :* la vague vient caresser le rocher inlassablement, et s'infiltre, en douceur, mais finit par user la roche la plus dure.

TOUEI

58 *Le serein, le joyeux, le lac :* cherchez à découvrir l'autre rive... Si vous n'aimez pas la nage, construisez un pont.

HOUAN

59 *La dissolution :* cherchez à mieux percevoir et à mieux comprendre votre entourage : laissez votre égoïsme au vestiaire.

TSIE

60 *La limitation :* si les gardes-fous sont utiles et pratiques, ne vous imposez pas vous-même des limites trop étroites : votre chemin deviendrait une ornière.

TCHONG FOU

61 *La vérité intérieure :* ne cherchez pas à transmettre ce qui n'est pas transmissible, c'est votre attitude seule qui doit convaincre. N'élevez pas la voix pour vous faire entendre, mais soyez profond et sincère...

SIAO KOUO

62 *La prépondérance du petit :* si vous ne savez pas nager, ne vous jetez pas à l'eau, surtout sans bouée...

KI TSI

63 *Après l'accomplissement :* sachez admirer l'épanouissement de la rose, et lire son déclin dans les plis des pétales.

WEI TSI

64 *Avant l'accomplissement :* ne vous couronnez pas de lauriers avant la remise des prix...

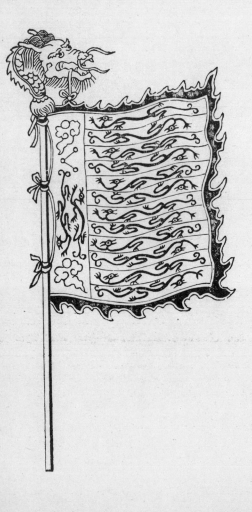

TABLEAU GÉNÉRAL
DES ANNÉES CORRESPONDANT
AUX SIGNES CHINOIS (1)

LE RAT
31.1.1900 / 18.2.1901
18.2.1912 / 5.2.1913
5.2.1924 / 24.1.1925
24.1.1936 / 10.2.1937
10.2.1948 / 28.1.1949
28.1.1960 / 14.2.1961
15.2.1972 / 2.2.1973

LE BUFFLE
19.2.1901 / 7.2.1902
6.2.1913 / 25.1.1914
25.1.1925 / 12.2.1926
11.2.1937 / 30.1.1938
29.1.1949 / 16.2.1950
15.2.1961 / 4.2.1962
3.2.1973 / 22.1.1974

LE TIGRE
8.2.1902 / 28.1.1903
26.1.1914 / 13.2.1915
13.2.1926 / 1.2.1927
31.1.1938 / 18.2.1939
17.2.1950 / 5.2.1951
5.2.1962 / 24.1.1963
23.1.1974 / 10.2.1975

LE CHAT
29.1.1903 / 15.2.1904
14.2.1915 / 2.2.1916
2.2.1927 / 22.1.1928
19.2.1939 / 7.2.1940
6.2.1951 / 26.1.1952
25.1.1963 / 12.2.1964
11.2.1975 / 30.1.1976

LE DRAGON
16.2.1904 / 3.2.1905
3.2.1916 / 22.1.1917
23.1.1928 / 9.2.1929
8.2.1940 / 26.1.1941
27.1.1952 / 13.2.1953
13.2.1964 / 1.2.1965
31.1.1976 / 17.2.1977

LE SERPENT
4.2.1905 / 24.1.1906
23.1.1917 / 10.2.1918
10.2.1929 / 29.1.1930
27.1.1941 / 14.2.1942
14.2.1953 / 2.2.1954
2.2.1965 / 20.1.1966
18.2.1977 / 6.2.1978

LE CHEVAL
25.1.1906 / 12.2.1907
11.2.1918 / 31.1.1919
30.1.1930 / 16.2.1931
15.2.1942 / 4.2.1943
3.2.1954 / 23.1.1955
21.1.1966 / 8.2.1967
7.2.1978 / 27.1.1979

LA CHÉVRE
13.2.1907 / 1.2.1908
1.2.1919 / 19.2.1920
17.2.1931 / 5.2.1932
5.2.1943 / 24.1.1944
24.1.1955 / 11.2.1956
9.2.1967 / 28.1.1968
28.1.1979 / 15.2.1980

LE SINGE
2.2.1908 / 21.1.1909
20.2.1920 / 7.2.1921
6.2.1932 / 25.1.1933
25.1.1944 / 12.2.1945
12.2.1956 / 30.1.1957
29.1.1968 / 16.2.1969
16.2.1980 / 4.2.1981

LE COQ
22.1.1909 / 9.2.1910
8.2.1921 / 27.1.1922
26.1.1933 / 13.2.1934
13.2.1945 / 1.2.1946
31.1.1957 / 15.2.1958
17.2.1969 / 5.2.1970
5.2.1981 / 24.1.1982

LE CHIEN
10.2.1910 / 29.1.1911
28.1.1922 / 15.2.1923
14.2.1934 / 3.2.1935
2.2.1946 / 21.1.1947
16.2.1958 / 7.2.1959
6.2.1970 / 26.1.1971
25.1.1982 / 12.2.1983

LE SANGLIER
30.1.1911 / 17.2.1912
16.2.1923 / 4.2.1924
4.2.1935 / 23.1.1936
22.1.1947 / 9.2.1948
8.2.1959 / 27.1.1960
27.1.1971 / 14.2.1972
13.2.1983 / 1.2.1984

(1) *Les dates indiquées précisent le* **premier** *et* **dernier** *jour de l'année du signe.*

TABLE DES MATIÈRES

BIBLIOGRAPHIE

Catherine Aubier « *Astrologie Chinoise* » (France-Amérique)

Paula Delsol « *Horoscopes chinois* » (Mercure de France)

Xavier Frigara et Helen Li « *Tradition Astrologique chinoise* » (Dangles)

Jean-Michel de Kermadec « *Les huit signes de votre destin* » (L'Asiathèque)

Suzanne White « *L'astrologie chinoise* » (Tchou)

Pour le Yi-King :
Le livre des Mutations, (Éditions Médicis)
Le Yi-King, par Dominique Devic, (L'Autre Monde, n° 16)

ICONOGRAPHIE

● Collection personnelle des auteurs et du maquettiste.

Pour la quatrième partie :

● Japanese Prints - Drawings from the Vever Collection. Jack Millier Tomes 1, 2 et 3 (SOTHEKY PARKE BERNET, 1976).
● Gale Catalogue of Japanese Paintings and Prints - Jack Millier (Saners - Valansot Publication, 1970).

Achevé d'imprimer
en mars mil neuf cent quatre-vingt-trois
sur les presses de l'Imprimerie Gagné Ltée
Louiseville - Montréal.

Dépôt légal: 1er trimestre 1983
Bibliothèque nationale du Québec
Bibliothèque nationale du Canada

Imprimé au Canada